全国 169 所知名小学联合推荐

应用题夺冠

XIAOXUESHENGYINGYONGTIDUOGUAN

主编⊙王伟营

小学生 1 年级

朝華出版社

图书在版编目（CIP）数据

小学生应用题夺冠．一年级/王伟营主编．—北京：
朝华出版社，2011.6
ISBN 978-7-5054-2702-0

Ⅰ.①小…　Ⅱ.①王…　Ⅲ.①应用题—小学—题解
Ⅳ.①G624.505

中国版本图书馆 CIP 数据核字（2011）第 088071 号

小学生应用题夺冠(一年级)

主　　编　王伟营

责任编辑　张　冉
特约编辑　赵　倩
责任印制　张文东
封面设计　北京吴闲工作室

出版发行　朝华出版社
社　　址　北京市西城区百万庄大街 24 号　　**邮政编码**　100037
订购电话　(010)68413840　68996050
传　　真　(010)88415258(发行部)
联系版权　j-yn@163.com
网　　址　www.mgpublishers.com
印　　刷　北京市宏泰印刷有限公司
经　　销　全国新华书店
开　　本　720mm×1000mm　1/16　　**字　　数**　100 千字
印　　张　14
版　　次　2011 年 7 月第 1 版　2011 年 7 月第 1 次印刷
装　　别　平
书　　号　ISBN 978-7-5054-2702-0
定　　价　15.80 元

目录 CONTENTS

第一章 生活中的数（一）

DIYIZHANG

我们在生活中每天都离不开数，小朋友，你会数数吗？比如：数铅笔有几支，数学了几个字，数家里有几口人等等。数物体个数的时候，可以一个一个地数，也可以两个两个地数，要做到数得又对又快。

1. 能正确数出生活中 10 以内的物体的个数。
2. 了解生活中的一些数字所表示的意义。
3. 能正确读、写 10 以内的数。

例题精讲

例 1 数一数，有几个正方体？

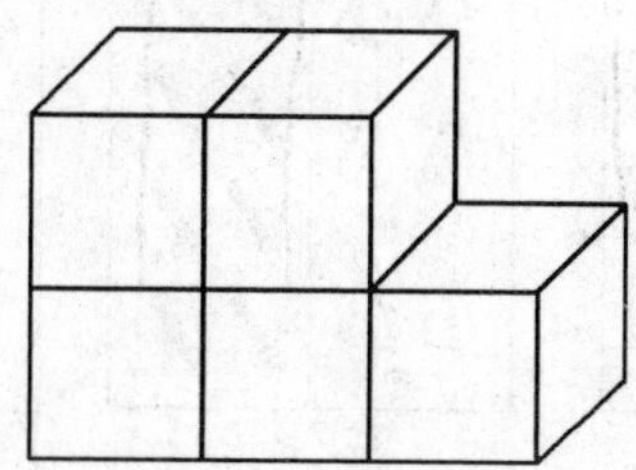

分析与解答

先数上层有 2 个，再数下层有 3 个。

解：一共有 5 个正方体。

例2 数一数，连一连。

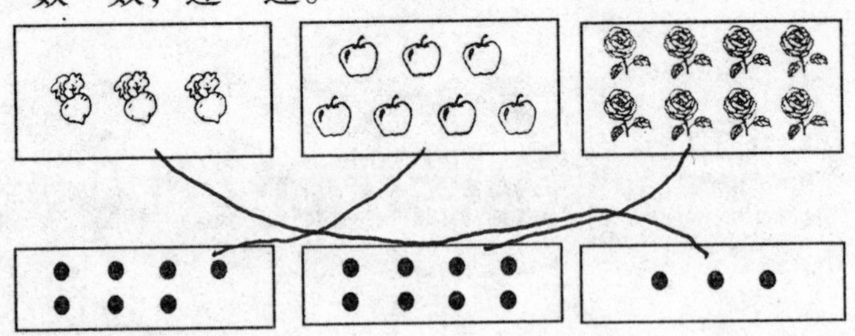

·分析与解答·

先数一数，第一行方框内分别有3个萝卜、7个苹果、8朵花，再分别与对应的点连起来。

解：

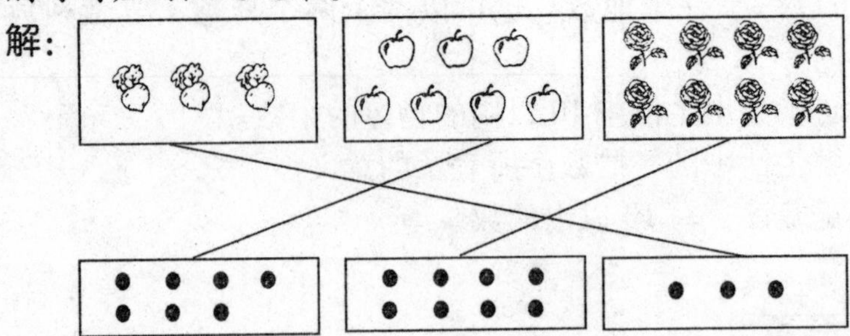

例3 每组图中，把与左边同样多的部分圈起来。

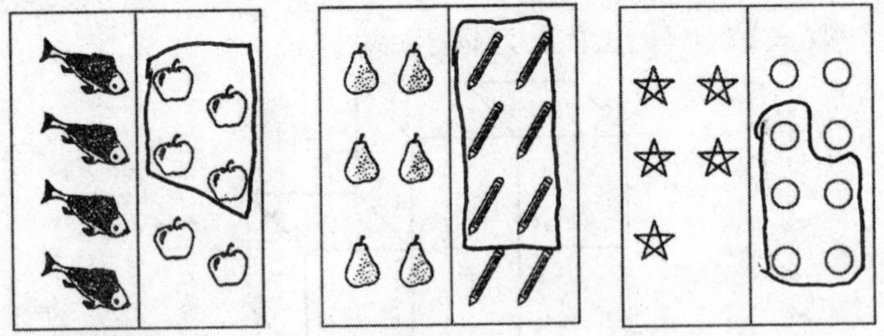

·分析与解答·

数一数，左边分别有4条鱼、6个梨和5颗五角星，右边分别圈上4个苹果、6支铅笔和5个圆。

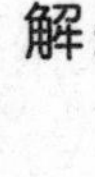

解：

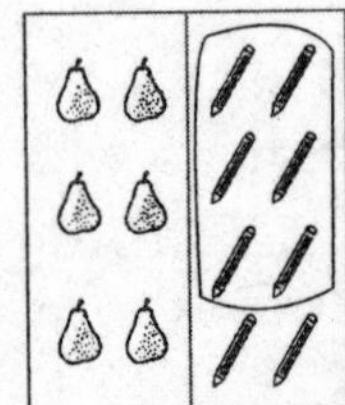
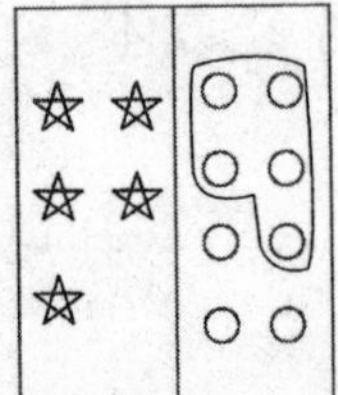

例 4　数一数，填一填。

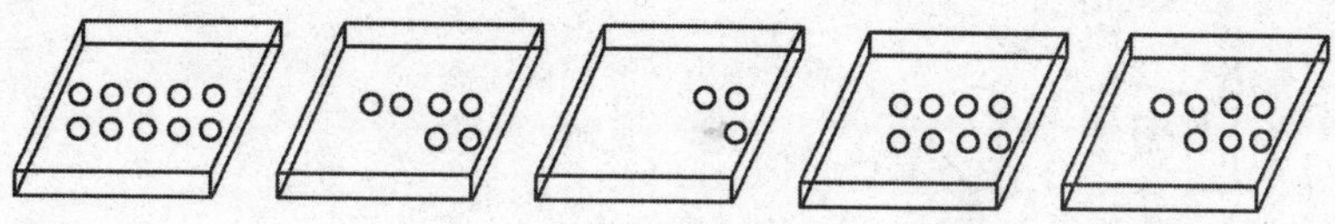

（1）一共有（　　）盒，从左边起第（　　）盒里有 10 个球。

（2）有 3 个球的是第（　　）盒，它左边一盒里有（　　）个球，右边一盒里有（　　）个球。

（3）从右边起，第（　　）盒与第（　　）盒的球合起来正好是 10 个。

（4）从左边起，第 4 盒再放进（　　）个球能凑满 10 个。

分析与解答

（1）数一数，一共有 5 盒，从左边起第 1 盒里有 10 个球。

（2）数一数，我们可知道第 3 盒里有 3 个球，它左边一盒里有 6 个球，右边一盒里有 8 个球。

（3）数一数，从右边起，第 1 盒里有 7 个球，第 3 盒里有 3 个球，第 1 盒与第 3 盒的球合起来正好是 10 个。

（4）从左边起，第 4 盒里有 8 个球，因此再放进 2 个球就能凑满 10 个。

解：（1）5　1　（2）3　6　8　（3）1　3　（4）2

例 5　把下面各点按顺序连起来，看看是什么？

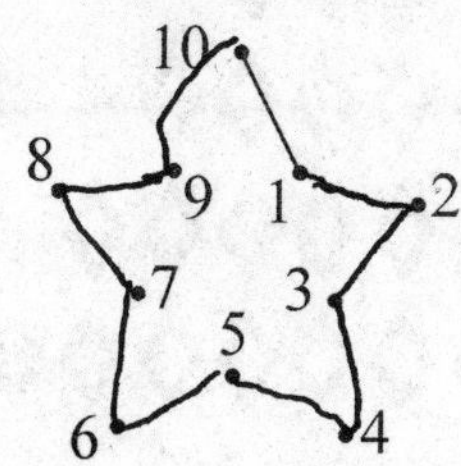

分析与解答

连各个点时要按一定的顺序来连的。可以从 1 开始，依次 2、3、4 等，一直连到 10。当然也可以从 10 开始，依次 9、8、7 等，一直连到 1。可以看出是个五角星。

解：

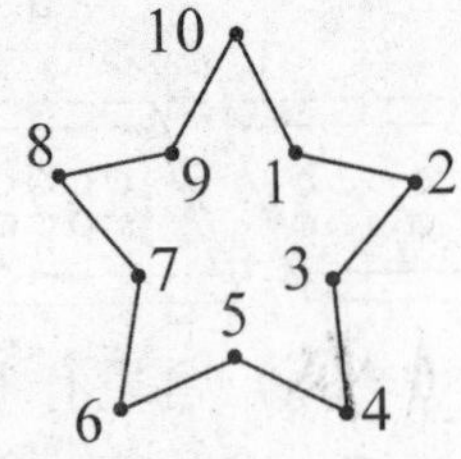

答：看起来是个五角星。

基础练习

1. 数一数，填一填。

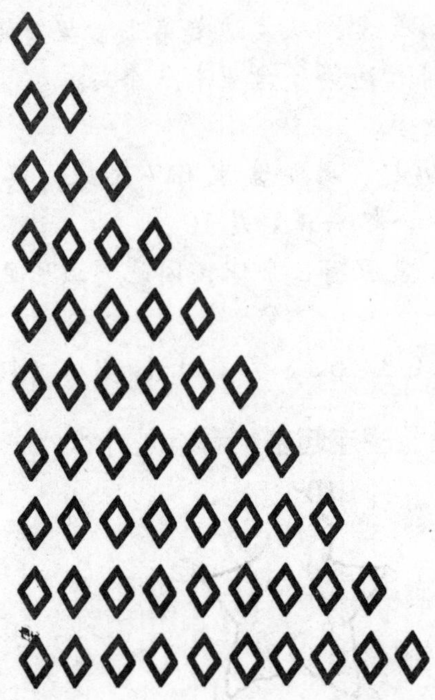

2. 数一数，把正确的数字圈上。

11　12　15

17　12　13

18　17　11

15　20　14

14　15　13　　　　11　16　19

思维拓展

3．数一数，画一画。

4	6	5	8	9

4．涂一涂，数一数。

给○涂上红色；给△涂上绿色，给□涂上黄色。

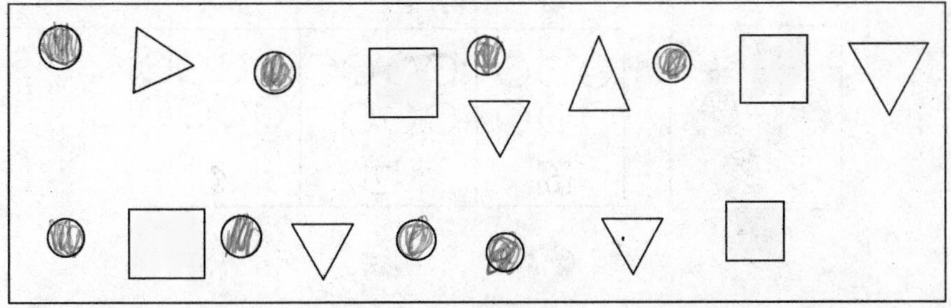

○有（ 8 ）个，△有（ 6 ）个，□个有（ 4 ）。

5．找朋友，连一连。

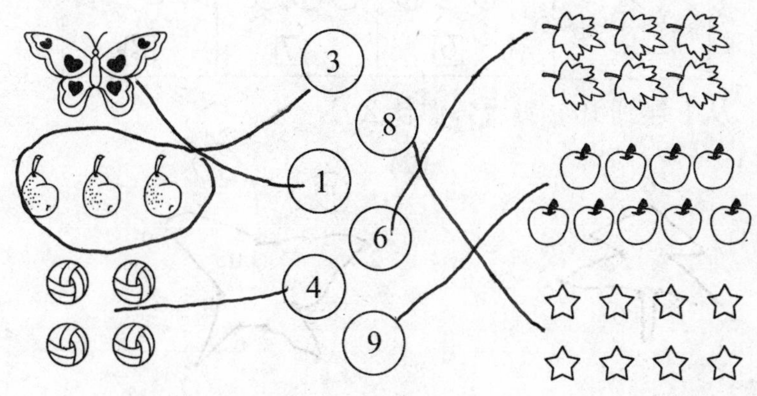

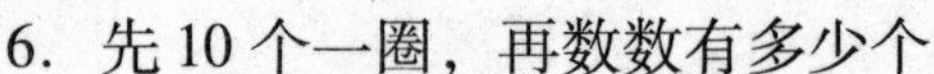

6. 先10个一圈，再数数有多少个。

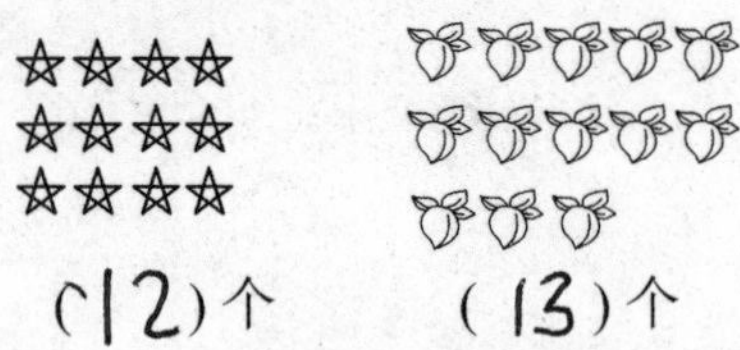

（12）个　　（13）个

7. 看图写数。

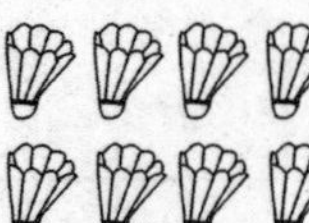

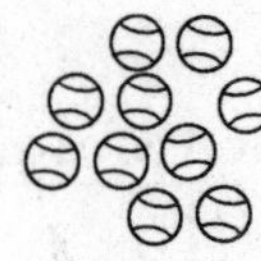

（1）个　　（6）个　　（8）个　　（10）个

8. 哪个小朋友数得对？在数得对的小朋友下面的□里画“√”。

(1)

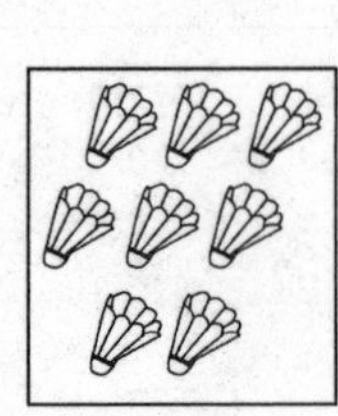

(2)

9. 从1连到10，看看各像什么？

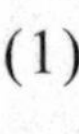

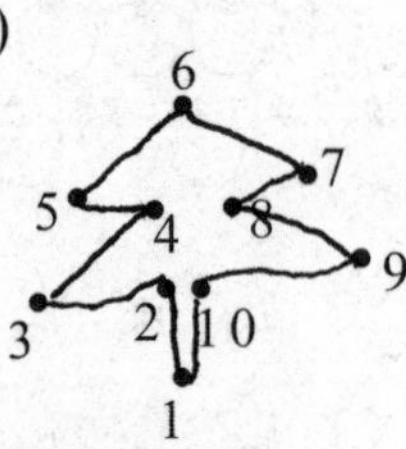

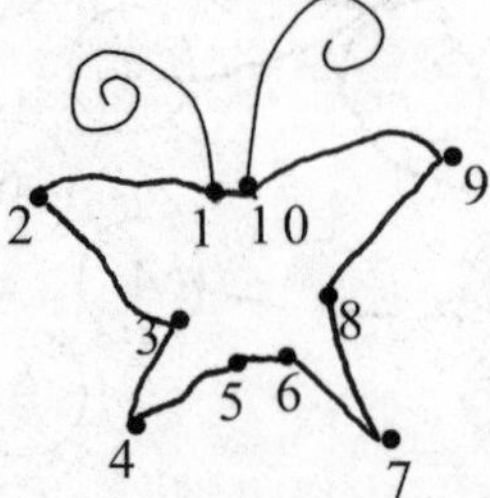

10. 从 1 到 20，按顺序把点连起来，看看像什么？

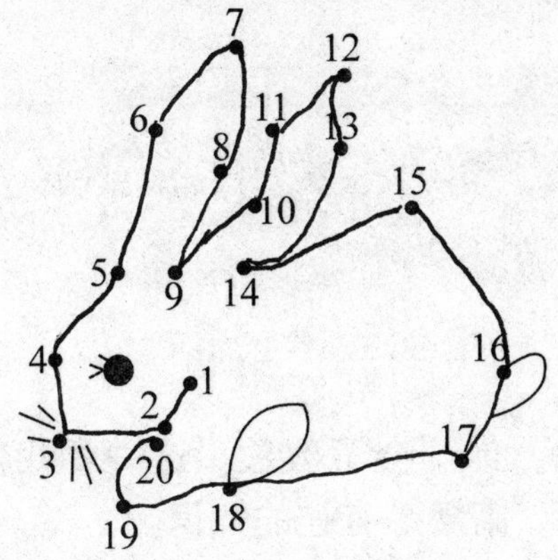

智慧列车

11. 找一找，下图中藏着哪些数字？

3, 5, 6, 7, 9

第二章 比一比

小朋友，上一章，你学会了数数。这一章我们将学习比较图形或物体的多少、长短、高矮等有趣的知识。

第一节 比多少

通过练习，能学会一些常用物体比多少的方法。

两种物体多少的比较，除了数一数之外，还可采用一一对应的方法比较物体的多少。

例题精讲

例1 说说有几只猫，几条鱼，比一比，哪个多？哪个少？

分析与解答

我们在比较多少时，让一只猫对着一条鱼，一一对应。如果一只猫吃一条鱼，那么三只猫就吃三条鱼，猫没有多余，鱼也没有多余，说明猫和鱼一样多。

解：有 3 只猫，3 条鱼，猫和鱼同样多。

例 2　有 5 只小兔，5 堆萝卜，如果每只小兔吃一个萝卜，挑哪一堆比较合适？

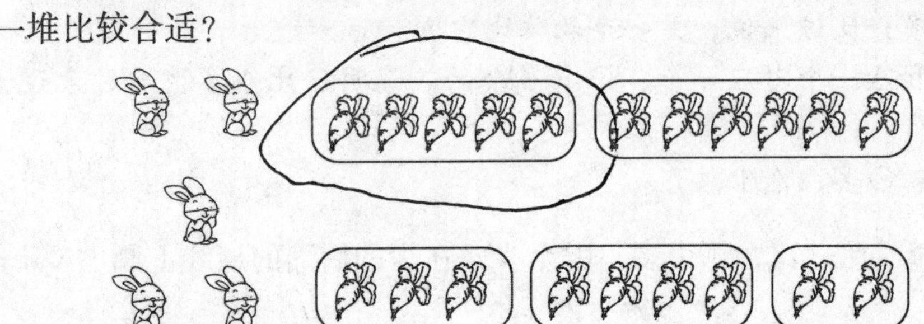

分析与解答

一只小兔吃一个萝卜，也就是一只小兔对应一个萝卜。数一数有几只小兔，就一共要吃几个萝卜。

有 5 只小兔，每只小兔吃一个萝卜，就要吃 5 个萝卜，所以应该选有 5 个萝卜的那一堆。

解：应该选有 5 个萝卜的那一堆。

例 3　比一比，哪个多，哪个少？

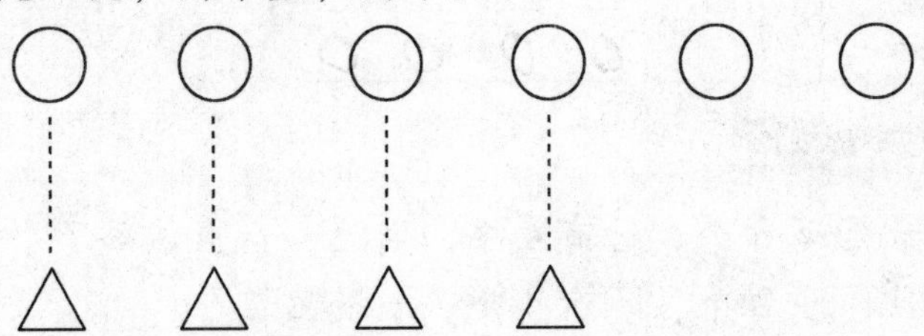

·分析与解答·

比较时，一个对应一个，谁有多余，谁就多，也就是它比另一个物体多；反过来说，另一个物体比它少。

○和△一个对应一个，○有多余的。说明○比△多，反过来说，△比○少。

解：○多，△少。

例4　比一比，哪个多，哪个少？在少的后面的横线上画“√”。

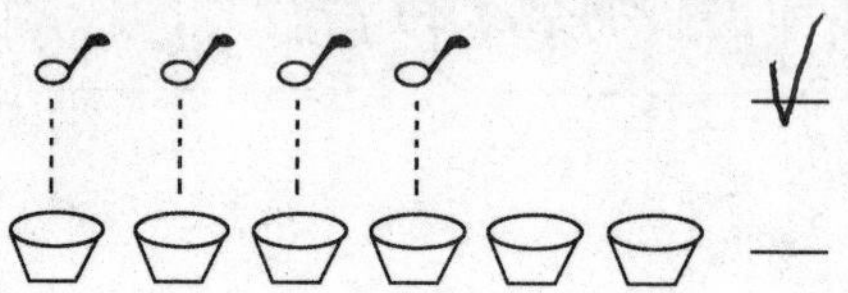

·分析与解答·

勺子与碗一个对应一个，还有2个碗没有勺子对应，说明碗比勺子多2个，也可以说勺子比碗少2个。

解：

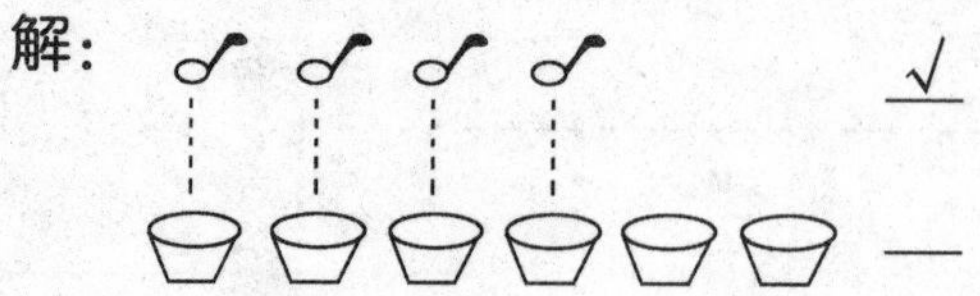

例5　动手画一画。

（1）画△，比○多3个。

（2）画☆，比□少2个。

（3）画○，与□同样多。

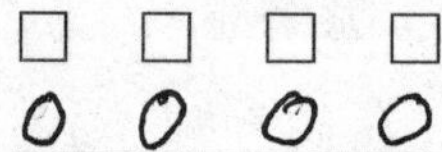

·分析与解答·

（1）△比○多3个，○有4个，因此，△应该画7个。

（2）☆比□少2个，□有4个，☆就画2个。

(3) ○与□一样多，□有4个，○也要有4个。

解：(1) △△△△△△△　(2) ☆☆　(3) ○○○○

基础练习

1. 说一说。

(1) 谁和谁同样多？

(2) 谁比谁多？

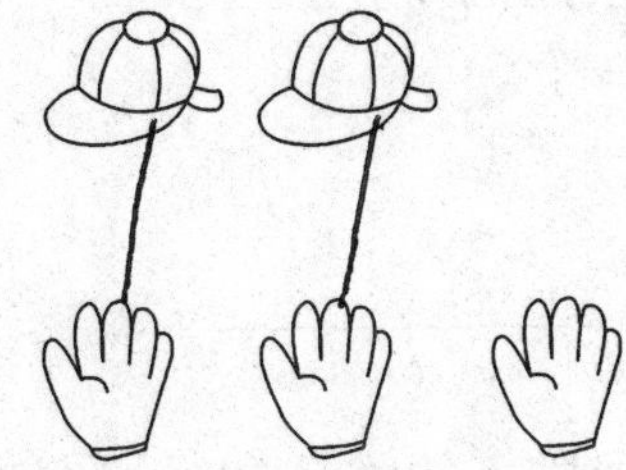

(3) 谁比谁少？

2. 比一比，在多的后面画“√”。

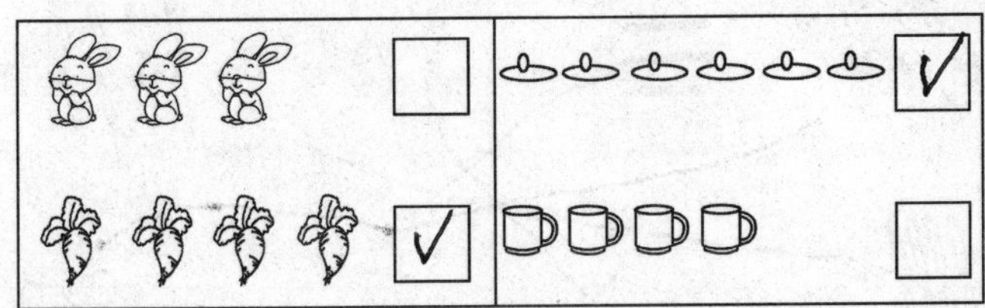

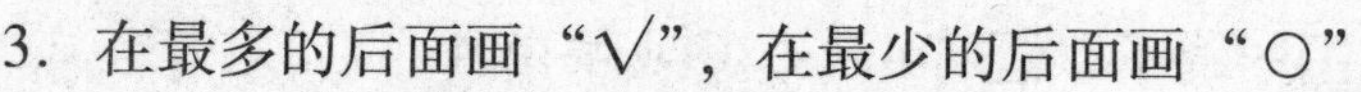

3. 在最多的后面画“√”，在最少的后面画“○”。

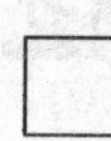

思维拓展

4. 请你画一画。

(1) 画○，和△同样多。

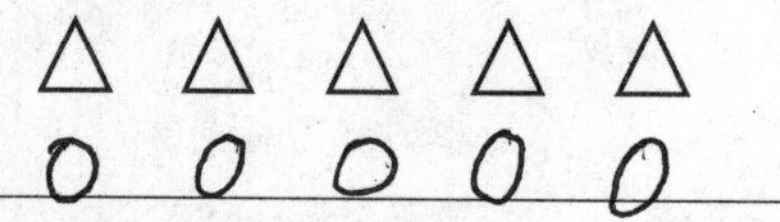

(2) 画△，比□多一个。

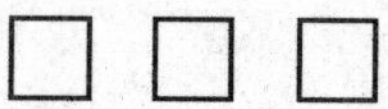

5. 连一连。

(1) 把图中上、下同样多的物品和线连起来。

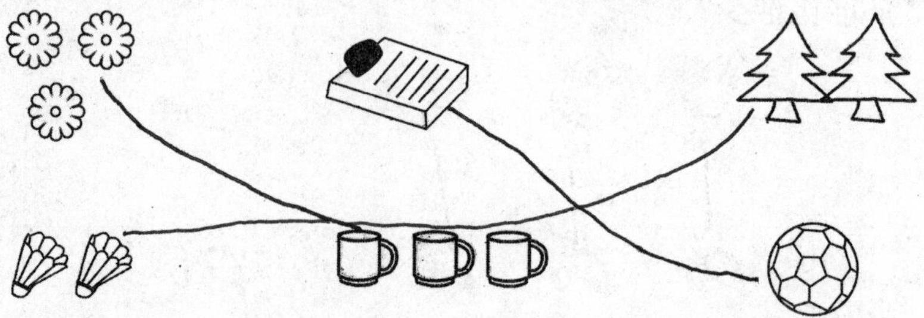

(2) 将同样多的物品用线连起来。

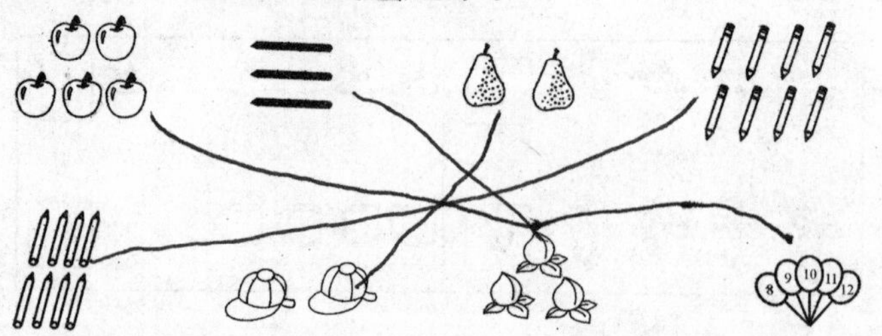

（3）把物体和相应的数字用线连起来。

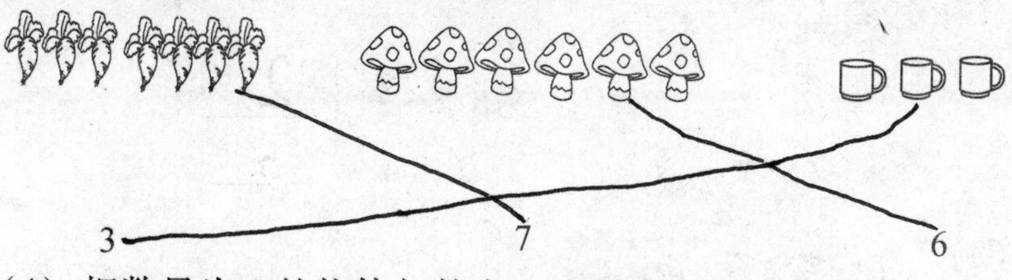

（4）把数量为 4 的物体与数字 4 连起来。

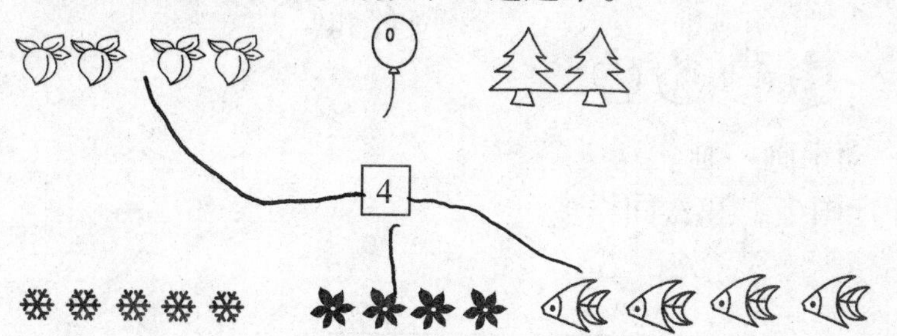

6．比多少。（在多的一行后面画上“√”）

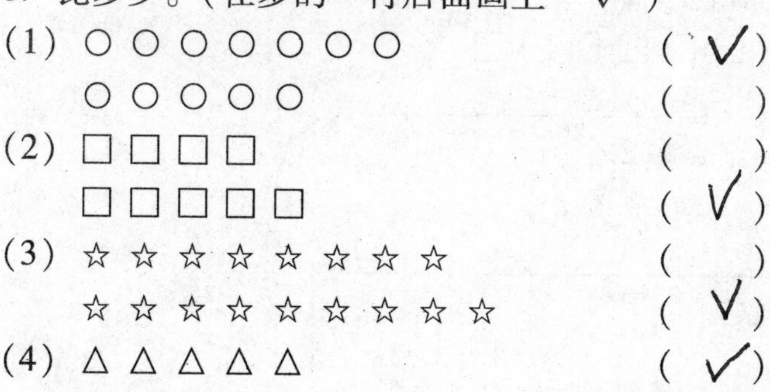

（1）○○○○○○○ （√）

○○○○○ （ ）

（2）□□□□ （ ）

□□□□□ （√）

（3）☆☆☆☆☆☆☆☆ （ ）

☆☆☆☆☆☆☆☆☆ （√）

（4）△△△△△ （√）

△△△△ （√）

（5）◇◇◇◇◇◇◇◇ （ ）

◇◇◇◇◇◇ （ ）

（6）●●●● （ ）

◇◇◇◇◇◇ （√）

7．看图填合适的数。

（1）

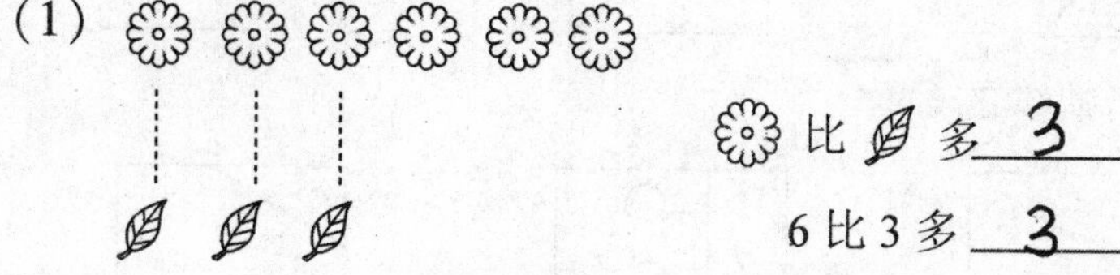

✿比🍃多 3

6 比 3 多 3

(2) 

🐤比🍄多 2

2 比 4 少 2

(3) 🐟🐟🐟🐟

🍎🍎🍎🍎

🐟和🍎 ______ 相等

8．动手画一画。

(1) 画○，和△同样多。

△ △ △

______

(2) 画○，比□少 2 个。

□□□□□□□

______

(3) 画○，比☆多 2 个。

☆ ☆ ☆ ☆

______

(4) 看数画○。

6 9

3 7

(5) 补出缺少的△。

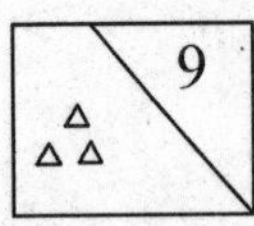
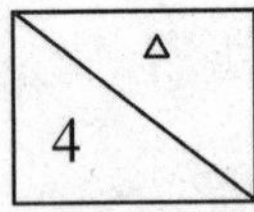

(6) 补出缺少的○。

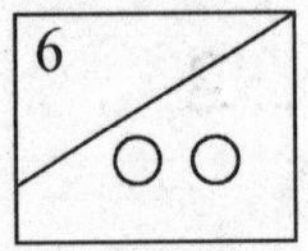
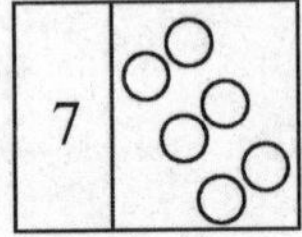
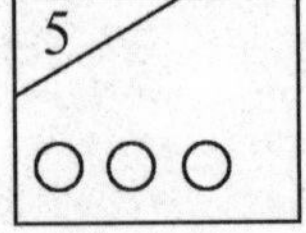

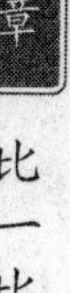

（7）根据数字，画去多余的图形。

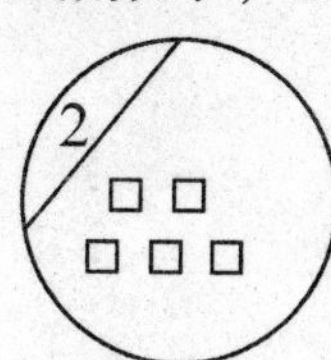

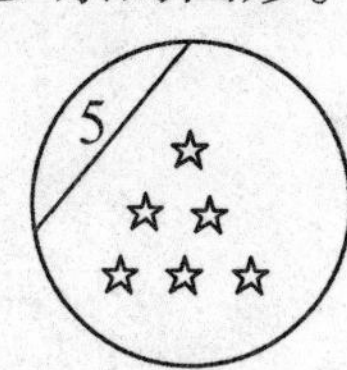

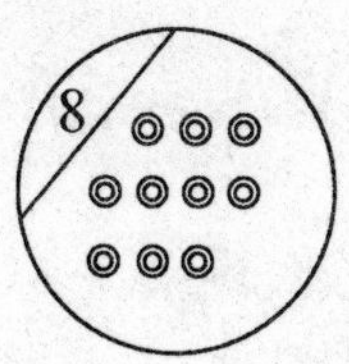

（8）① 你会画什么，就在右边的空框里面画上什么，数量要求比左边多三个。

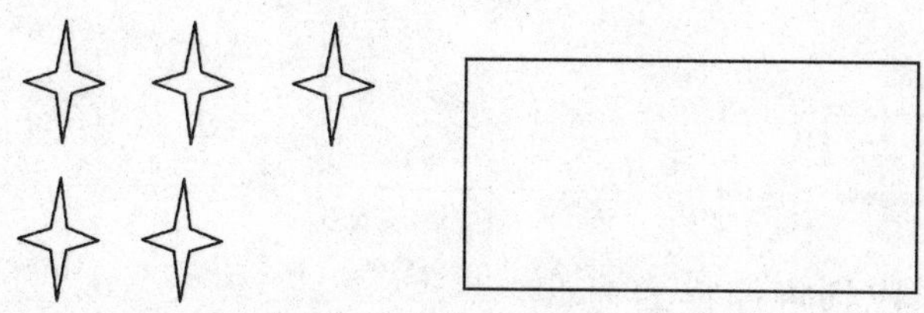

② 你会画什么，就在左边的空框里面画上什么，数量要求和右边同样多。

9．涂一涂。

（1）给数量少的一种蔬菜涂上颜色。

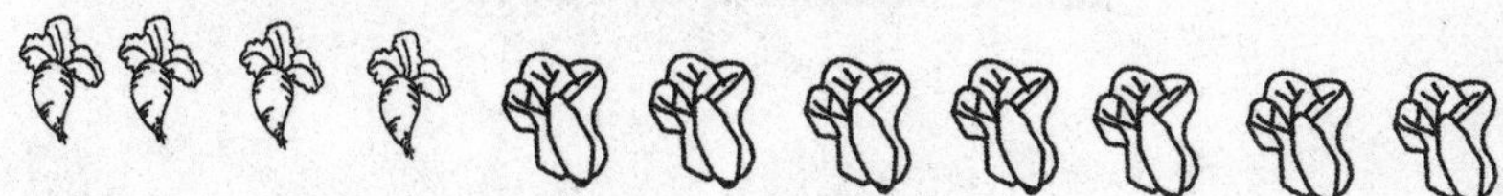

（2）给数量多的一种水果涂上颜色。

10．根据图意圈出正确的说法。

（1）○　○　○　　○比△ { 多 / 少 / 同样多

△　△　△

（2）☆　☆　☆　☆　　☆比○ { 多 / 少 / 同样多

○　○　○　○　○

11. 看图填一填。

比　　少（　　）只。　　比　　多（　　）只。

比　　多（　　）只。

智慧列车

12. 你能找到规律接着画吗？

第二节　比长短

方法一：

将要比较的两物体一端对齐，看两物体的另一端，比一比看哪个长，哪个短。

方法二：

准备直尺，可用尺分别量出要比较的两物体的长度，看一看谁长，谁短。

例题精讲

例 1　长的画"√"，短的画"○"。

（　　） （　　）

分析与解答

耙子与铲子的左端正好对齐，可以看它们的右端，耙子要比铲子长一些。

解: （ √ ）　（ ○ ）

例 2　哪把钥匙较长？

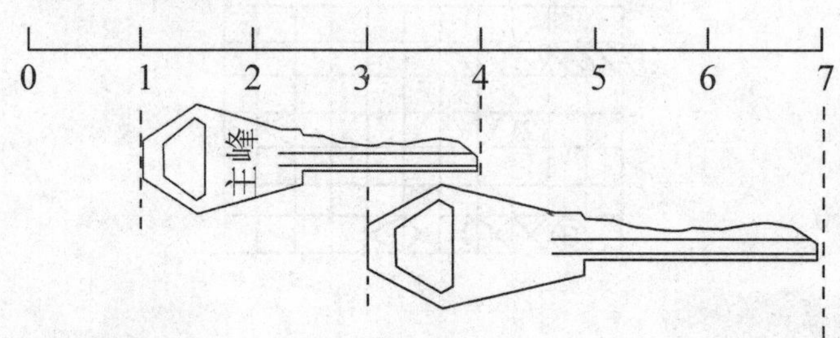

分析与解答

由于受尺子刻度影响，以为两把同样长，仔细一看，上边这把是从 1 至 4，共占了 3 格，而下边这把是从 3 至 7，共占 4 格，所以下边这把钥匙较长。

解: 下边这把钥匙较长。

例 3　你知道从 *A* 点到 *B* 点的三条线路，哪条最短吗？

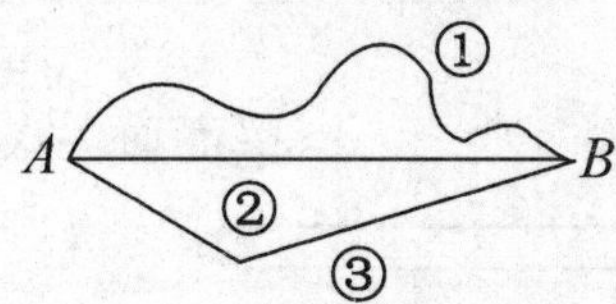

分析与解答

3 条线都是从 *A* 点到 *B* 点，如果 3 条线拉直，我们知道第①条线最长，第②条线最短。

解: 第②条线最短。

例 4　下图两条线，谁短些？

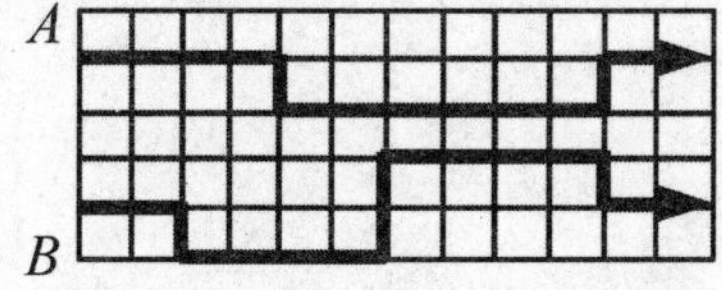

·分析与解答·

A 线横的线有 12 段，竖的线有 2 段，共有 14 段；*B* 线横的线有 12 段，竖的线有 4 段，共有 16 段。所以 *A* 线短些。

解：*A* 线短些。

例 5 哪支铅笔最长？

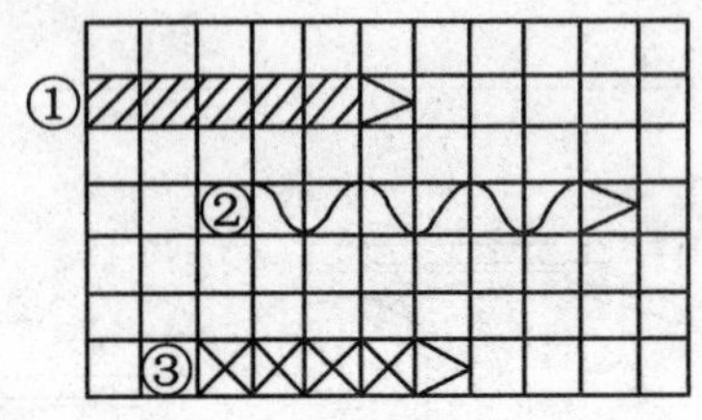

·分析与解答·

三支铅笔摆放的位置虽不同，我们可以数一数它们分别经过了几个小格子。第①支铅笔经过了 6 个小格子；第②支铅笔经过了 7 个小格子；第③支铅笔经过了 5 个小格子。所以第②支铅笔最长。

解：第②支铅笔最长。

基础练习

1. 在短的铅笔右面的（　　）里面画“√”。

（　　）

（　　）

2. 最长的画“○”，最短的画“△”。

（　）

（　）

（　）

思维拓展

3. 下面三条线哪条线最长，哪条线最短？

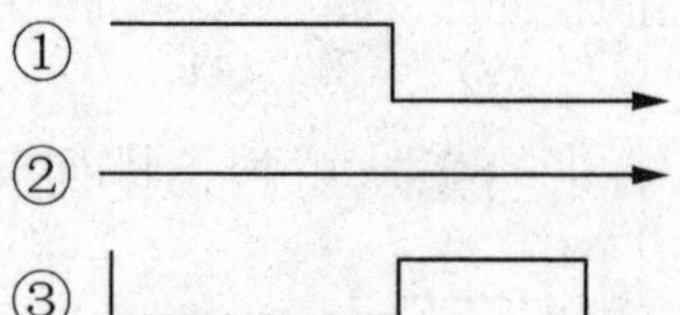

4. 比一比，哪只猫最先吃到鱼？

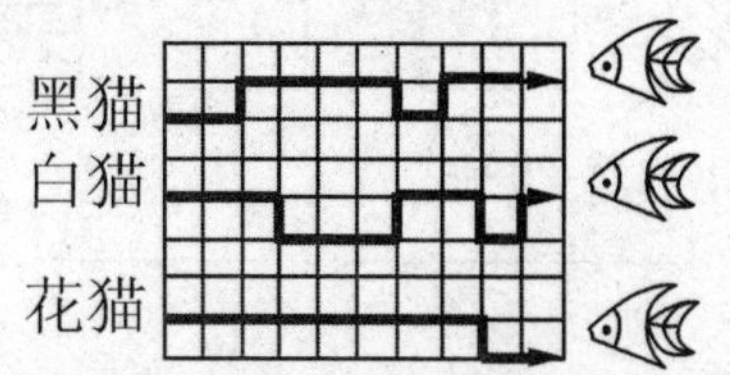

5. 把下面三角形中最短的一条线用彩笔描写。

6. 下面哪块布条最长？把它涂上颜色。

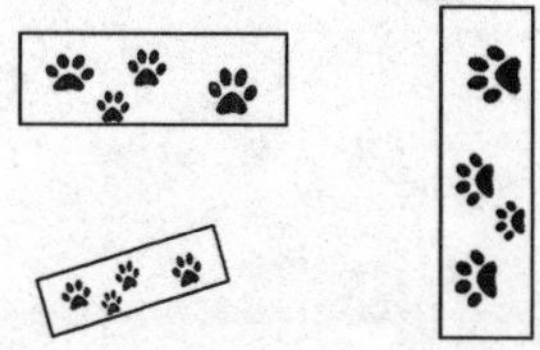

7. 数一数，每条线各有几根火柴？填一填。

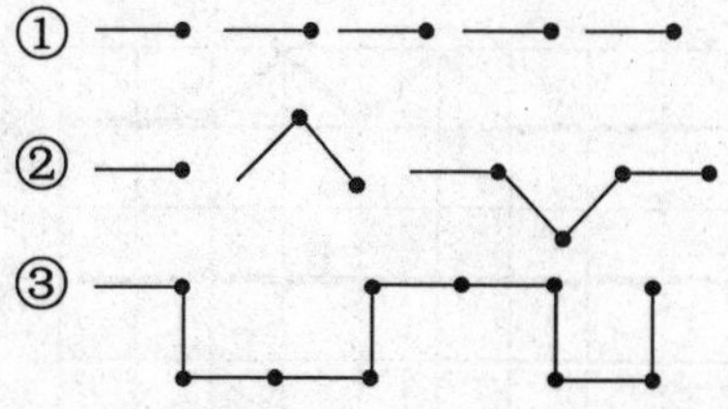

________条线用的火柴最多，________条线用的火柴最少。

8. 数一数下面图形中最短的一条边用了几根小棒。

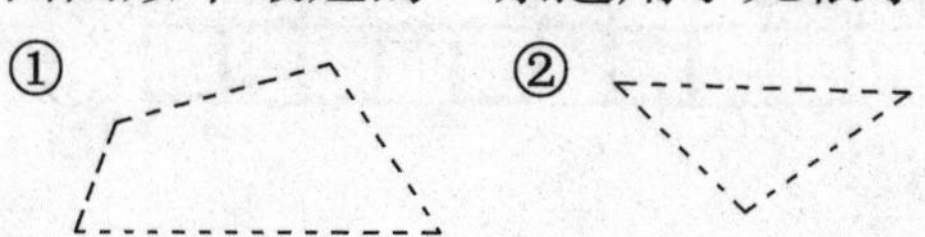

9. 将下面 5 支铅笔按长短的顺序排列起来，哪一支铅笔应排中间？

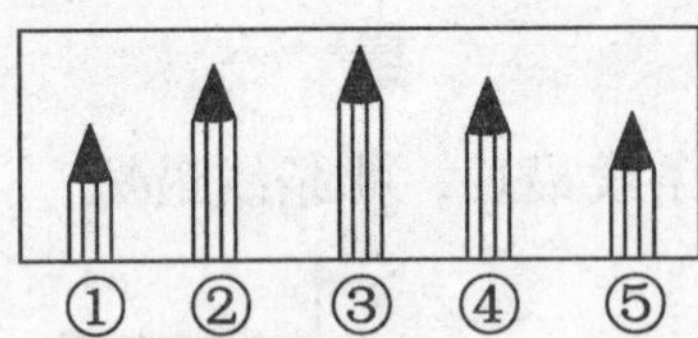

10. 将图中四个长方形直条从短到长排列起来，你会排吗？

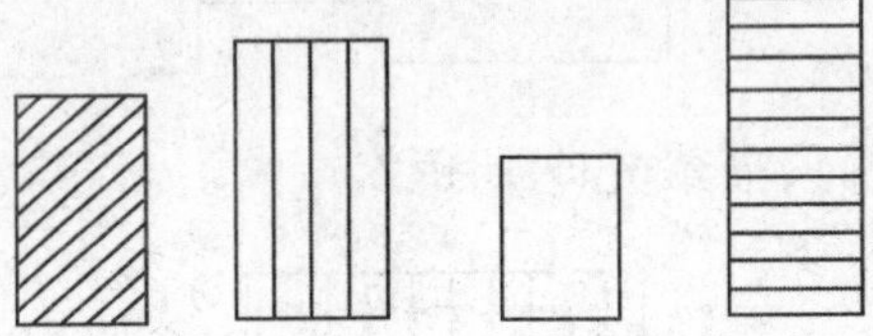

11. 画一条线，比这条线长。

12. 请你给长的带子涂上漂亮的颜色。

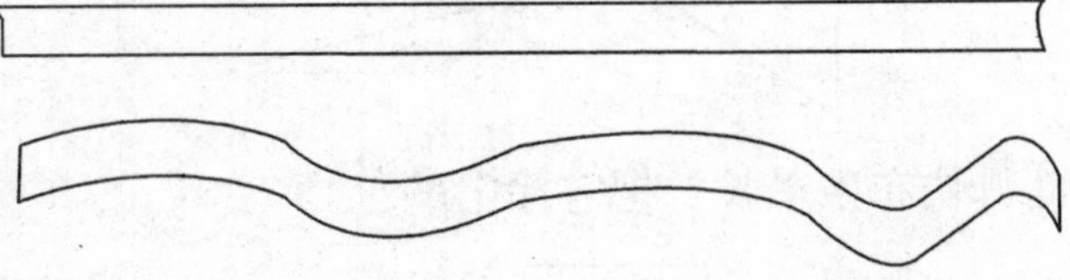

智慧列车

13. 哪只兔子最后吃到萝卜？

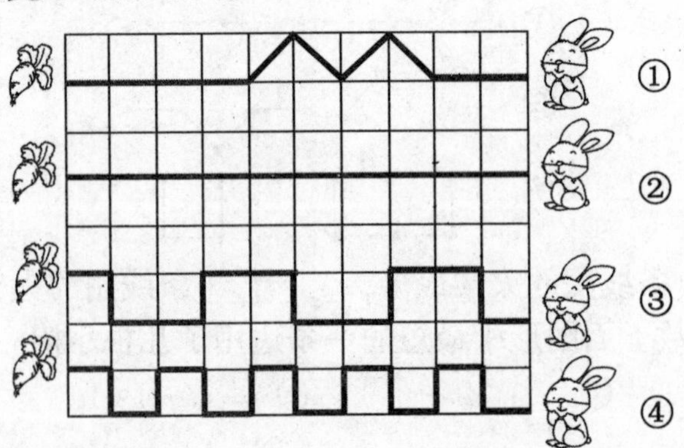

第三节 比高矮

比高矮的方法：

可以将要比较的两物体一端对齐，看它们的另一端，有多出部分的那个物体就高一些。

例题精讲

例1 高的画“√”，矮的画“○”。

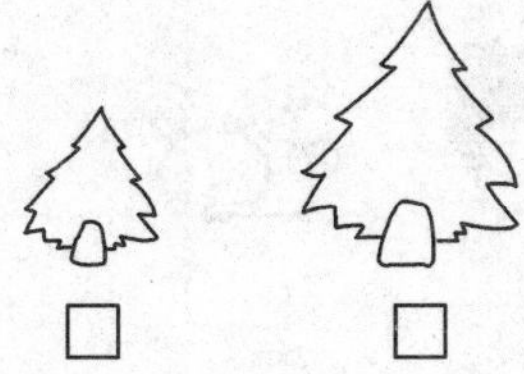

分析与解答

这两棵树都是种在地面上的，我们看它们的另一头可以比较出，左边的树比右边的树矮一些，右边的树比左边的树高一些。

解：

例2 哪只长颈鹿高？

分析与解答

通过观察，左边的那只和右边的那只都站在同一地平线上，右边的长颈鹿突出来一些，因而右边的那只高。

解：右边那只长颈鹿高。

例 3 在最高的动物下面的（　　）里画“√”。

（　）　（　）　（　）

分析与解答

三种动物比高矮，依据生活经验，从图中也能看出，猪是最高的。

解：

（　）　（√）　（　）

例 4 小军、小力、小强三个同学比身高。

小军：“我比小力高。”

小强：“我比小军矮。”

小力：“我比小强高。”

把三个同学按从矮到高的顺序排一排。

分析与解答

从他们说的话中可以知道，小军比小力高，小力比小强高。因此，小军是最高的，小强是最矮的。

解：按从矮到高的顺序排列为：小强、小力、小军。

基础练习

1. 在高的房子下面的（　　）里面画“√”。

 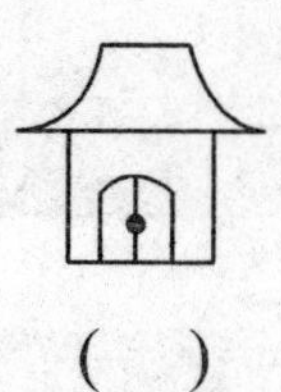

(　)　　(　)

2. 在矮的物体下面的□里画“△”。

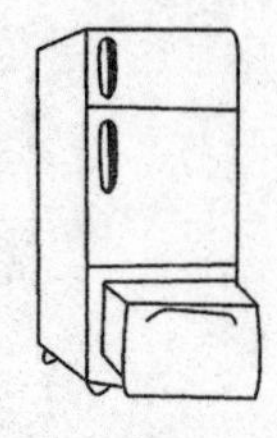 

 □

3. 高的画“√”，矮的画“○”。

(　)　　(　)

4. 最高的画“√”，最矮的画“○”。

□　□　□

5. 在高的动物后面画“○”。

 (　)　　 (　)

6. 哪列火车钻山洞用的时间长？在后面画“√”。

7. 给最高的涂上红色，最矮的涂上黄色。

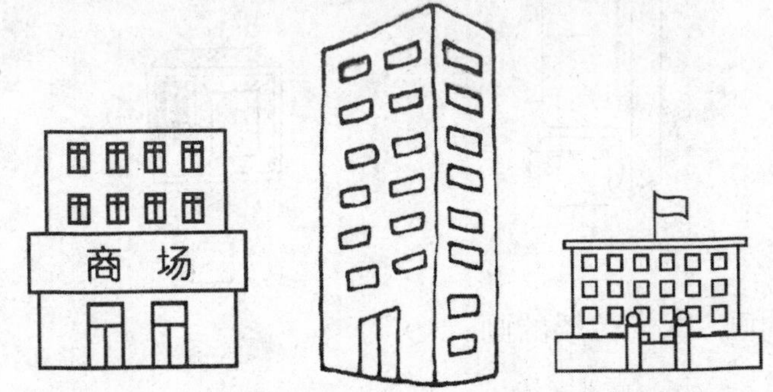

8. 比一比下面图中谁的个子高。按从高到矮的顺序在□里填一填。

9.（1）有三个小伙伴比身高，知道甲比乙矮，甲比丙高，这三个小伙伴的身高你能按从高到矮的顺序排出来吗？

（2）有四只小动物因为身高问题吵架了。小猴说：“我比小狗高。”

小牛说：“我最高。”小羊说：“小猴没我高。”

聪明的小朋友，你知道谁最高，谁最矮了吗？将它们按从矮到高的顺序排一排。

10. 甲、乙、丙、丁四个同学在一起比身高。已知丙不是最高的，但比甲、丁高，而甲又比丁要高。猜一猜，他们当中谁最高的，谁又是最矮的？

11. 汽车能从桥下通过吗？说说你的理由。

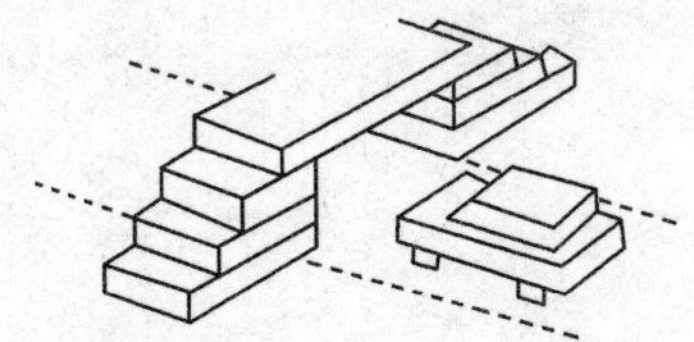

12. 小调查。（与你班同学比一比，写出 3 个）

比你高的：________、________、________。

比你矮的：________、________、________。

智慧列车

13. 小刚把同一块石块放进下面的三个水杯里。想一想，哪个杯子里的水升得最高？

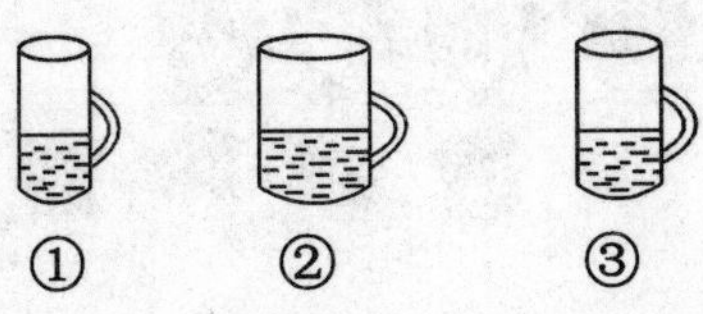

DISANZHANG

1～5的加减法

通过活动、练习能初步认识加减法的含义，会计算5以内的加减法，理解两部分合起来，求一共是多少，用加法计算。从总体中去掉一部分，求剩下多少，用减法计算。

通过练习，能初步认识“0”，感知“0”的含义，掌握“0”的顺序，会计算有关0的加减法。

“0”表示一个也没有，“0”表示“起点”，“0”还可以参加运算。

例题精讲

例1　一共有几个苹果？

□+□=□

分析与解答

原来有3个苹果，又拿来2个苹果，放在一起一共是5个苹果。

解：3+2=5（个）

答：一共有5个苹果。

例2　有5个杯子，喝水用去4个杯子。还剩几个杯子？

·分析与解答·

从5个杯子里去掉4个杯子，就得到剩下的杯子数，从5里去掉4，用减法算。列出算式5－4＝1，所以剩1个杯子。

解：5－4＝1（个）

答：还剩1个杯子。

例3

·分析与解答·

（1）同数相减等于0。 （2）一个数加0，没有变，还是这个数。 （3）一个数减0，仍得这个数。

解：3－3＝0 3＋0＝3 3－0＝3

例4

·分析与解答·

"0"表示一个物体也没有，所以比"1"小，即顺序为：0、1、2、3、4、5……

解："0"表示一个物体也没有。

例5 看图写出两个加法算式。

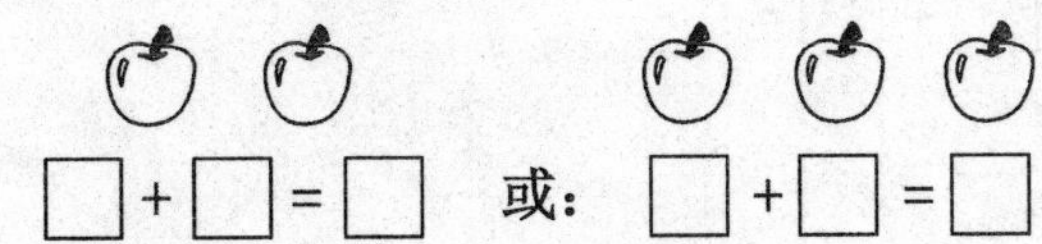

分析与解答

原先有2个苹果，又拿来3个苹果，一共是5个苹果，可以写成2+3=5，也可以写成3+2=5。

解：2+3=5（个）　　3+2=5（个）

例6　还有几颗珠子？

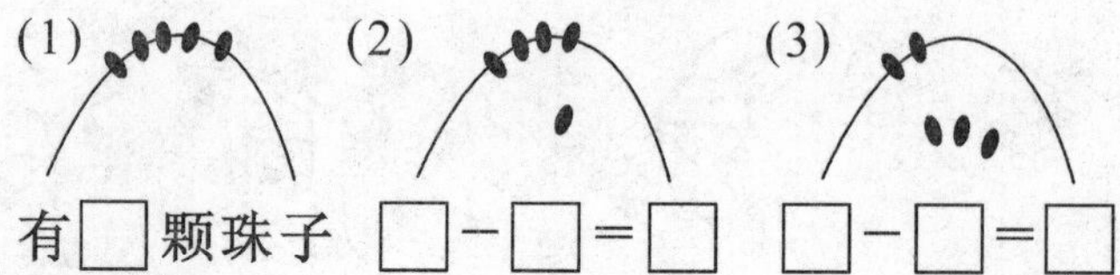

分析与解答

第一幅图有5颗珠子；第二幅图中掉了一颗，还剩4颗珠子，用算式表示是5-1=4；第三幅图中掉了3颗珠子，还剩2颗，用算式表示是5-3=2。

解：5-1=4（颗）　　5-3=2（颗）

答：（1）有5颗珠子，（2）还有4颗珠子，（3）还有2颗珠子。

基础练习

1. 看图列式。

2. 看图列式。

（1）

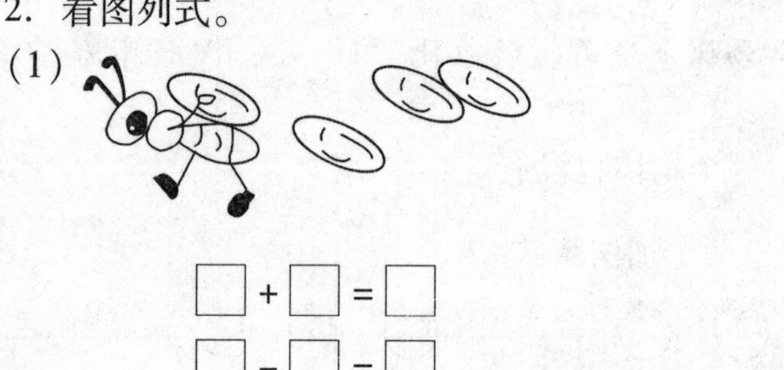

（2）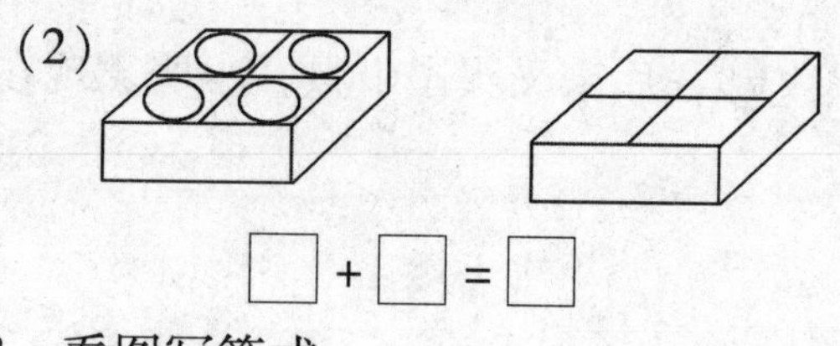

□ + □ = □

3. 看图写算式。

△△△ ▲▲

□ + □ = □ □ - □ = □

□ + □ = □ □ - □ = □

思维拓展

4. 选一选。（在正确答案下的括号里打"√"）

（1）用什么表示盘子里什么也没有？

什么也不写 用1 用0

（ ） （ ） （ ）

（2）有5个苹果，吃了3个，还剩几个？可以列式为：

3+2=5 5-3=2 5-2=3

（ ） （ ） （ ）

5. 一班有2个⚽，二班有3个，两班一共有多少个？

6. 姐姐吃了1个🍓，妹妹吃了2个，姐妹两个一共吃了多少个？

7. 小明家原来有 3 只鸡，后来又买了 1 只，小明家现在有多少只？

8. 有 4 个凳子，来了 5 个小朋友，还差多少个凳子？

9. 冬冬有 5 个气球，不小心飞走了 2 个，冬冬现在还有多少个气球？

10. 明明有 2 本故事书，亮亮的故事书和明明的一样多，明明和亮亮共有多少本故事书？

智慧列车

11. 想一想，算一算。

同学们排成一行做游戏，小红的前面有 3 个人，后面有 1 个人，这一行共有几个人？

第四章 6～10的加减法

DISIZHANG

小朋友，知道怎样加减了吧，我们再学习6~10的加减法，方法和1~5的加减法一样，需要注意的是把题的意思看清楚，再确定用什么方法计算。

例题精讲

例1　图中前面有6个苹果，后面有3个苹果，“?”表示一共有多少个苹果。

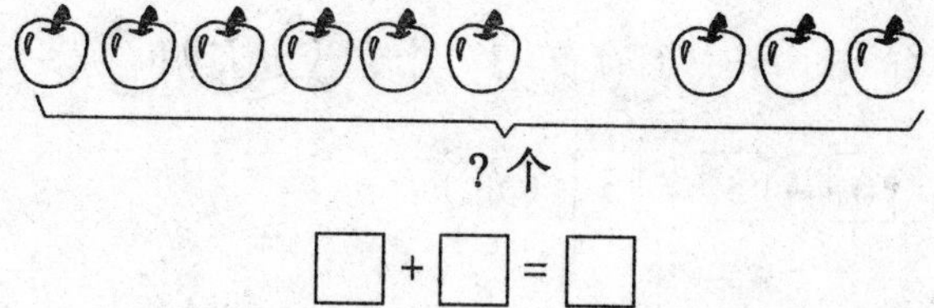

□+□=□

解：6+3=9（个）或3+6=9（个）

例2

? 个

8 个

□-□=□

分析与解答

图中前面有4个苹果，后面有几个不知道，但是知道一共有8个，“?”表示求后面有几个苹果。

解：8-4=4（个）

例3　哪两张卡片上的数相加等于8?

10 8 2 5 7 1 4 9 3 6

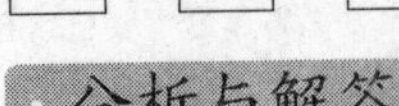

数字卡片1～10，两张卡片上的数相加等于8的有1和7，2和6，3和5，卡片4没有与它相加等于8的数。

解：1和7，2和6，3和5。

例4 数一数，算一算。

🍑有________个，🍎有________个，🍑比🍎多________个，🍎比🍑少________个。□－□＝□

·分析与解答·

先数一数桃子有6个，苹果有3个，再作比较。

解： 🍑有 6 个，🍎有 3 个，🍑比🍎多 3 个，🍎比🍑少 3 个。6 － 3 ＝ 3（个）。

例5 ▨ ☆ △ △ ▨ ▨ ○ △ ☆ △

（　　）最多，（　　）最少，最多的比最少的多（　　）个。

□－□＝□

·分析与解答·

上图中，▨有3个，☆有2个，○有1个，△有4个。

解：（△）最多，（○）最少，最多的比最少的多（3）个。4 － 1 ＝ 3（个）。

例6 明明有4支铅笔，冬冬有6支铅笔。两人共有多少支铅笔？

分析与解答

这道题有三个数量：明明有铅笔的支数、冬冬有铅笔的支数和两人共有铅笔的支数。两人共有铅笔的支数是总数量，其余两个量是分量，求总数量用加法计算。

解：4 +6 =10（支）

答：两人共有10支铅笔。

例7 小杰家有10个西瓜，客人吃了3个，还剩多少个?

分析与解答

小杰家原有西瓜的个数是总量，客人吃的个数是一个部分量，还剩的数量也是部分量。有总量，一个部分量，求另一个部分量，用减法计算。

解：10 –3 =7（个）

答：还剩7个。

基础练习

1. 看图写算式。

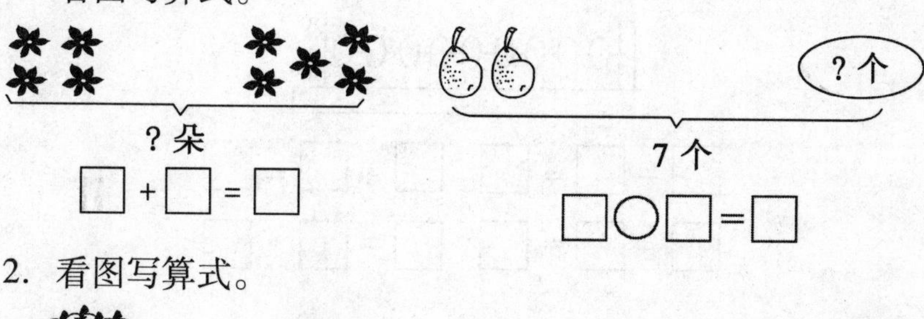

2. 看图写算式。

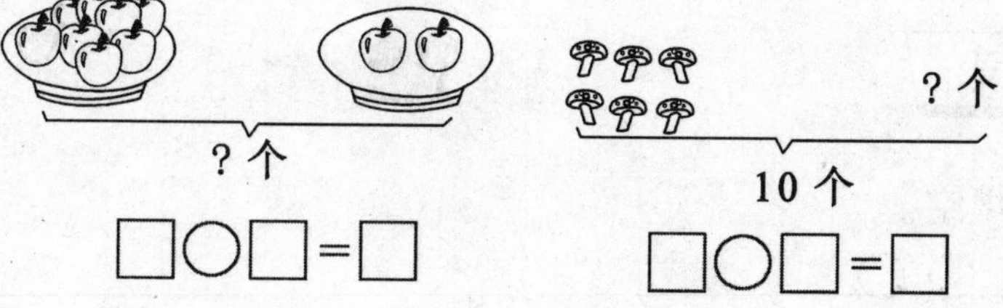

3. 把相加得数是 7 的用线连起来。

4. 看图列式。

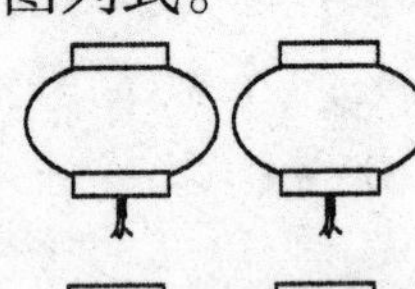 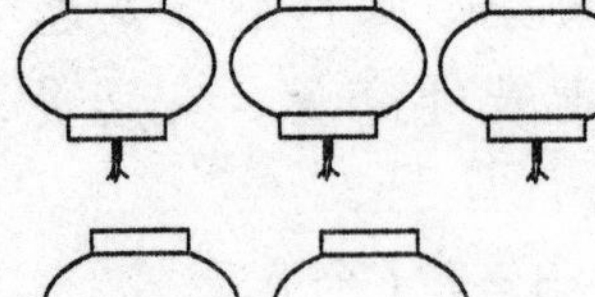

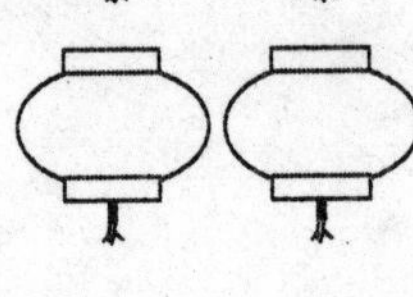

□ + □ = □　　　　□ + □ = □

□ − □ = □　　　　□ − □ = □

5. 拨珠子，将其分成两堆，并写出其相应的算式。

□ + □ = □　　□ + □ = □

□ − □ = □　　□ − □ = □

思维拓展

6. 看图填空。

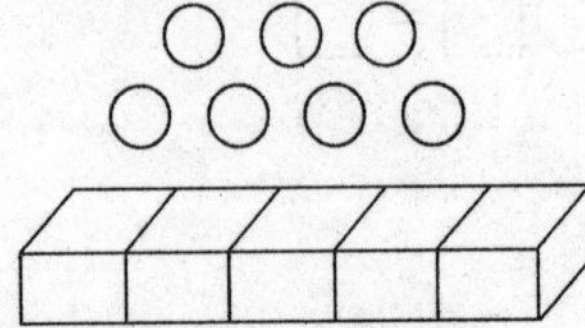

还差________个盒子。□○□=□

7. ○ ○ ○ ○ △

○ △ △ ○ ○

△ △ ○ ○

○比△多________个。△比○少________个。

8. ○ ☆ ☆ △ ○ △ ☆ △ ○ ○ ☆ ☆ ☆ ☆ △ △ ☆

（1）○有________个，△有________个，☆有________个。

（2）○和△共有________个。□○□=□

（3）△比○多________个，○比△少________个。

□○□=□

9．王小刚学生字，上午学了 7 个，下午学了 2 个，王小刚一共学了几个生字？

10．爷爷养了 3 只画眉鸟，4 只鹦鹉，爷爷一共养了多少只鸟？

11．小红有 4 个，小华有 3 个，小红和小华一共有多少个？

12．铅笔盒里有 9 支铅笔，森森拿出来 2 支，还剩多少支？

13．洞里有 10 只小蚂蚁，爬出来 4 只，洞里还剩多少只小蚂蚁？

14．体育室有 4 个排球，又买来同样多的排球。体育室现在有多少个排球？

15．动物园里有 6 只老猴子，4 只小猴子。动物园一共有多少只猴子？

16．食堂有 10 袋大米，吃了 4 袋，还剩多少袋？

17. 商店卖出 6 个白皮球，又卖出 2 个花皮球，商店一共卖出多少个皮球？

18. 停车场有 4 辆小汽车，3 辆大汽车，停车场一共有多少辆汽车？

19. 老师布置了 10 道数学题，小明做了 8 道题，还有几道题没做？

智慧列车

20. 10 个孩子玩捉迷藏，如果已经捉到了其中的 5 个人，还有几个人没有捉住？

第五章 10以内的加减混合运算

DIWUZHANG

小朋友，我们学了两个数量相加减的应用题。这里学习三个数量相加减的应用题。在解决问题的时候，要认真审题，搞清各部分关系，正确列式计算，通过练习，理解加减混合的运算顺序及方法。

例题精讲

例1 看图列式。

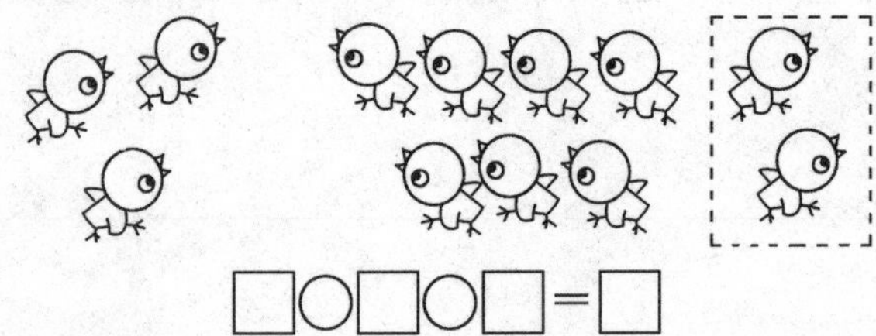

□○□○□=□

分析与解答

地上有9只小鸡，走了2只，又走来3只，最后还有10只，列成算式是9－2＋3＝10（只）。

解：9－2＋3＝10（只）

例2

	（　　）个
	（　　）个
	（　　）个

比少（　　）个，算式是□－□＝□；比多（　　）个，算式是□－□＝□；、、一共有（　　）个，算式是□＋□＋□＝□。

分析与解答

先仔细数，🍎有几个，🍐有几个，🍌有几个，再按要求做题。

解：🍎有（2）个，🍐有（5）个，🍌有（3）个。🍎比🍐少（3）个，算式是5－2＝3（个）；🍌比🍎多（1）个，算式是3－2＝1（个）；🍎、🍐、🍌一共有（10）个，算式是2＋5＋3＝10（个）。

例3 毛毛有2支铅笔，南南有3支铅笔，金金有3支铅笔。他们三人共有多少支铅笔？

分析与解答

这道题共有四个量：毛毛有铅笔的支数，南南有铅笔的支数，金金有铅笔的支数和他们三人共有铅笔的支数。三人共有铅笔的支数是总数量，其余三个量是部分量。求总数量，用加法计算。

解：2＋3＋3＝8（支）

答：他们三人共有8支铅笔。

例4 军军有10个气球，送给好好3个，又送给芳芳2个，军军还有多少个？

分析与解答

这道题有四个量：军军有气球的个数，送给好好的个数和送给芳芳的个数，军军还剩气球的个数。军军有气球的个数是总数量，送给军军和芳芳的个数是两个部分量，已知总数量和两个部分量，求另一个部分量，用减法计算。

解：10－3－2＝5（个）

答：军军还有5个。

例5 玲玲有5张卡片，丫丫有2张卡片，笑笑的和丫丫的一样多，她们三人共有多少张卡片？

分析与解答

她们三人共有的张数是总数量，玲玲有卡片的张数、丫丫有卡片的张数、笑笑有卡片的张数是三个部分量，笑笑的和丫丫的一样

多，从而知道笑笑也有2张，是部分量，求总数量用加法计算。

解：5+2+2=9（张）

答：她们三人共有9张卡片。

例6　兰兰有9本连环画，送给小夏2本，后来她又买了3本。兰兰现在有多少本连环画？

分析与解答

兰兰有连环画的数量是总量，送给小夏的数量是部分量，想知道兰兰现在有多少本，就要先知道她送给小夏后还有多少本，据前两个条件知道用减法计算；后来她又买3本是一个部分量，现在有多少本是总数量，求总数量用加法计算。

解：9－2＋3＝10（本）

答：兰兰现在有10本连环画。

基础练习

1. 看图列式计算。

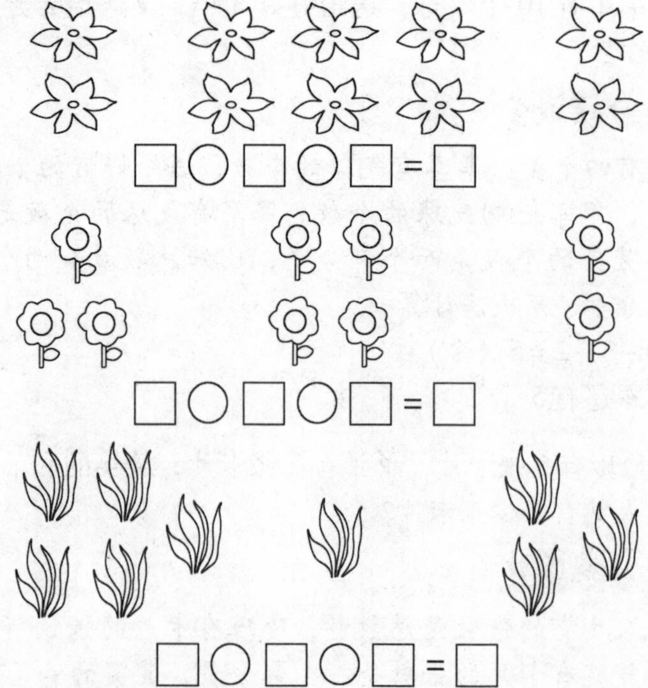

2. 看图列式计算。

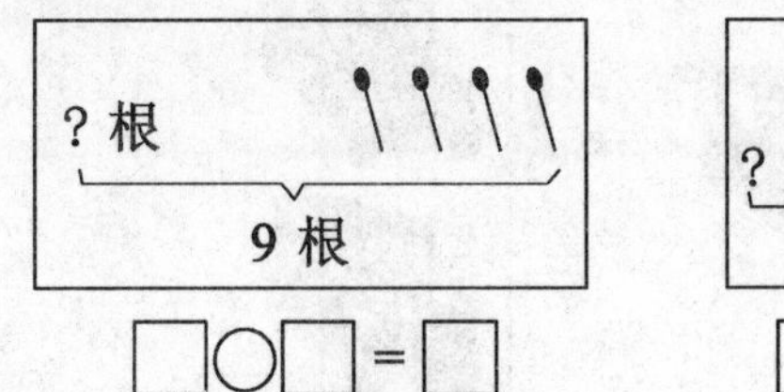

□○□＝□

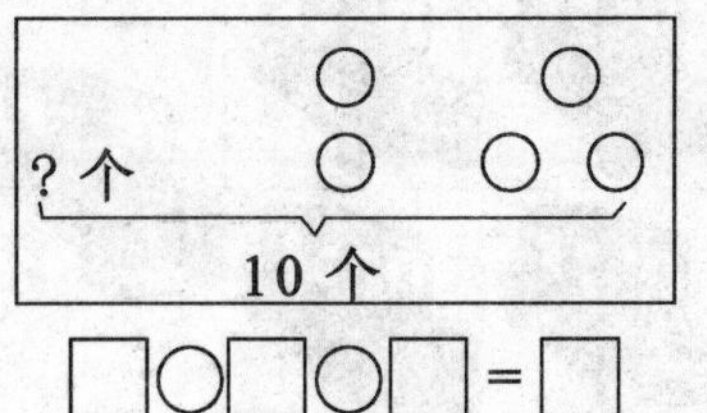

□○□○□＝□

3. 看图列式计算。

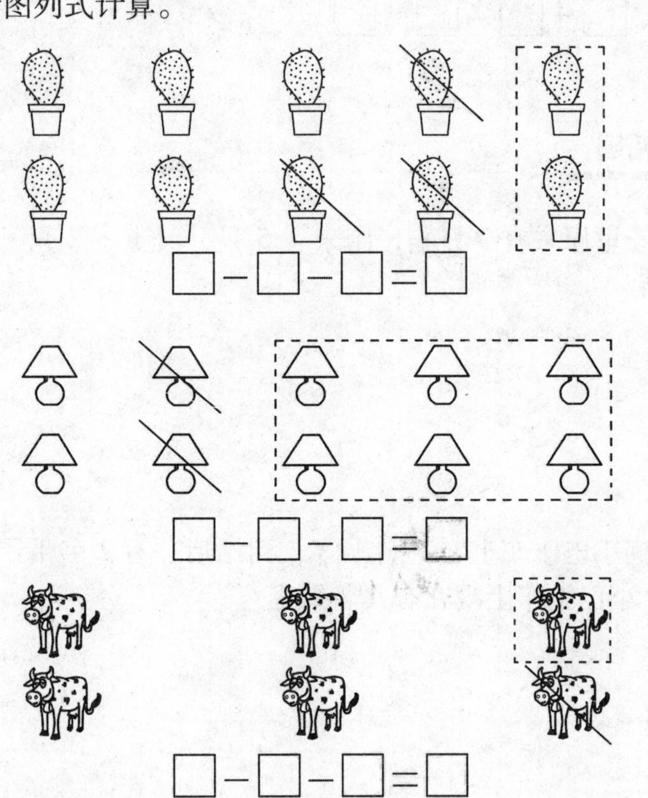

□－□－□＝□

□－□－□＝□

□－□－□＝□

4. 看图列式计算。

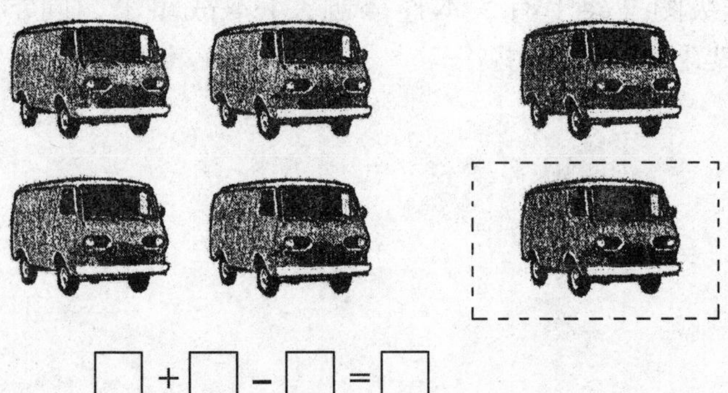

□＋□－□＝□

□+□-□=□

思维拓展

5. 院子里原来有 3 只猫，跑来了 5 只，又走了 2 只，院子里现在有几只猫？

6. 一辆小巴士车上有 7 名乘客，到站后，有 2 名下了车，又上来了 4 名，小巴士车上现在有几名乘客？

7. 班级图书架上有 5 本连环画，4 本故事书，同学们借走了 3 本，图书架上还有几本书？

8. 小明吃了3个苹果，姐姐吃了2个苹果，哥哥和姐姐吃的同样多，小明、姐姐、哥哥一共吃了几个苹果？

9. 小明和小亮比赛钓鱼，小明钓了4条，小亮比小明少钓了1条，小亮和小明一共钓了多少条鱼？

10. 池塘里有5只金鱼，青蛙比金鱼少2只，池塘里有青蛙和金鱼一共多少只？

11. 盘子里有8个苹果，小刚吃了3个，妈妈又买来5个，盘子里现在有多少个苹果？

12. 小白兔拔了 7 个大萝卜，小灰兔比小白兔少拔了 4 个萝卜，小白兔和小灰兔一共拔了多少个萝卜？

13. 电线上有 9 只燕子，飞走了 2 只，又飞走了 4 只，电线上现在有几只燕子？

14. 停车场原来有 10 辆车，走了 3 辆，又走了 3 辆，停车场现在有多少辆车？

15. 岸上有 8 只鸭子，下水游走了 4 只，又游上岸 5 只，岸上现在有几只鸭子？

16. 华华前面有 5 人，后面有 4 人，这一队共有多少人？

17. 荷叶上有 8 只青蛙，第一次跳下去 2 只，第二次跳的和第一次跳的一样多，荷叶上还有几只青蛙？

18. 丹丹上午写了 5 道应用题，下午写了 3 道，晚上又写了 2 道，这一天丹丹共写了多少道应用题？

19. 桌子上有 10 个气球，苹苹不小心弄破了 5 个，后来她又吹了 2 个，现在桌子上有多少个气球？

20. 讲桌上有 2 盆菊花，左边窗台上有 3 盆菊花，右边窗台上有 4 盆菊花，教室里共有多少盆菊花？

21. 奶奶买来 8 个馒头，爷爷吃了 1 个，叔叔吃了 2 个，家里现在还剩多少个馒头了？

22. 下课铃响后，先跑出 2 个女同学，再跑出 4 个男同学，后来又跑出 2 个女同学，一共跑出去多少个同学？

智慧列车

23. 把 2、3、4、5 填入□中，使算式成立。每个数只能用一次。可以怎样填？

□ + □ − □ = □

第六章 20以内的加减法（一）

DILIUZHANG

在前几章中我们学了10以内的两个数量、三个数量加减法应用题。这一章我们将给大家讲解20以内的加减法，请同学们做到以下几点：

1. 能正确地数、读、写20以内的数。
2. 认识“个位”和“十位”，了解其含义。
3. 能正确地进行11~20以内的数的加减法。
4. 能根据图意，列式并计算；还能提出有价值的数学问题。

例题精讲

例1 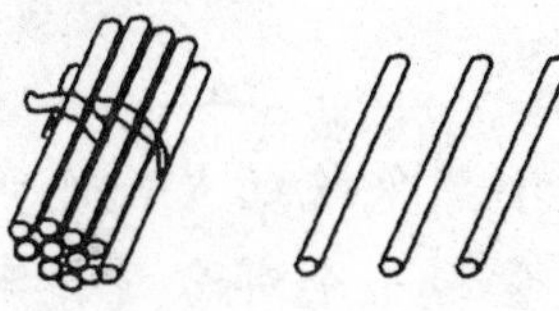

（　　）个十和（　　）个一，合起来是（　　）

分析与解答

一捆是10根小棒，就是1个十，另外有3根小棒，是3个一，合起来是13。

解：（1）个十和（3）个一，合起来是（13）。

例2 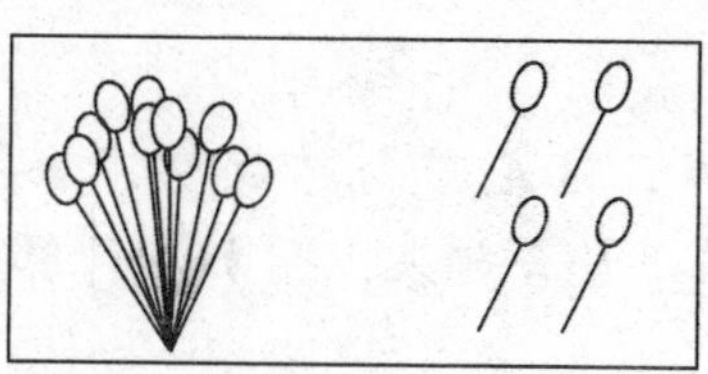

□+□=□　　□-□=□

分析与解答

前面一束有 11 个气球，后面有 4 个气球，放在一起是 15 个气球，列式为 11 +4 =15（个）或 4 +11 =15（个）；或者是共有 15 个气球，跑了 4 个，还剩 11 个，列式为 15 -4 =11（个）。

解：11 +4 =15（个）或 4 +11 =15（个）　15 -4 =11（个）

例 3　摆一摆，算一算。

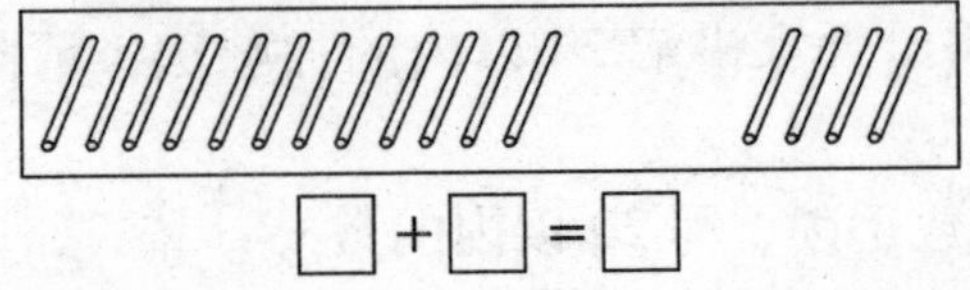

□+□=□

分析与解答

先摆 12 根小棒，再摆 4 根，放在一起是 16 根小棒。

解：12 +4 =16（根）

例 4　小白兔拔了 16 个萝卜，小黑兔吃了 3 个，现在还剩多少个萝卜？

分析与解答

小白兔拔的萝卜个数是总数量，小黑兔吃的是一个部分量，剩下的萝卜数也是一个部分量，有总数量和一个部分量，求另一部分量用减法计算。

解：16 -3 =13（个）

答：现在还剩 13 个萝卜。

例 5　体育室有 12 个足球，又买来 3 个足球。体育室现在有多少个足球？

分析与解答

要求体育室现在有多少足球，这是一个总数量，就要把体育室原有足球的个数和又买来的足球个数合起来，用加法计算。

解：12 +3 =15（个）

答：体育室现在有 15 个足球。

基础练习

1. 填空。

（1）上图有（　　）只鸡；
（2）给从左数第 12 只鸡涂上蓝色；
（3）给从右数第 12 只鸡涂上绿色。

2. 看图列算式。

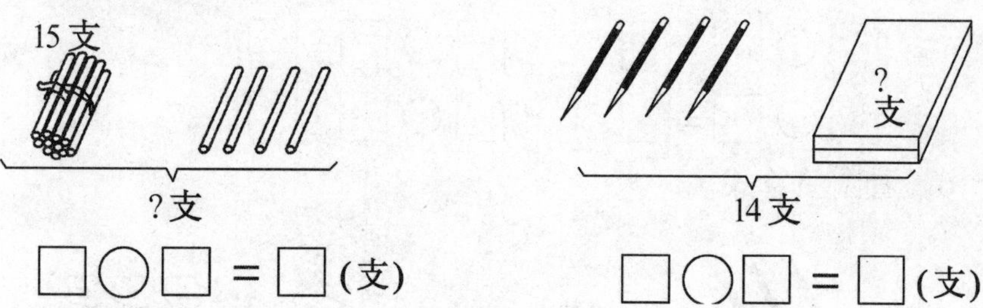

□○□ = □（支）　　□○□ = □（支）

3. 猜猜看。

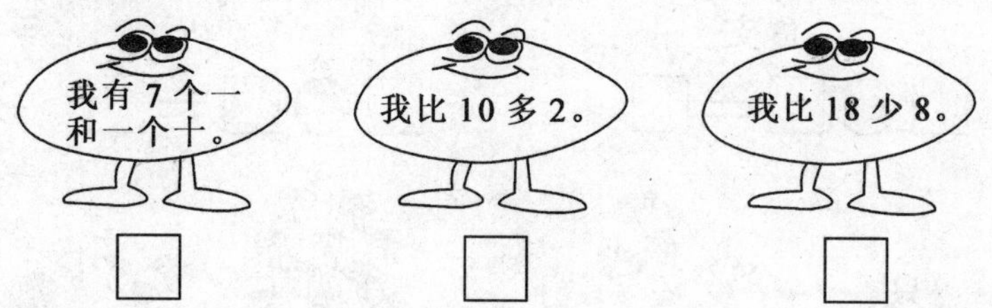

□　　□　　□

4. 填空。

（1）10 个（　　）是 10，2 个（　　）是 20。
（2）12 里面有（　　）个一，减去（　　）个一，正好是 10。
（3）

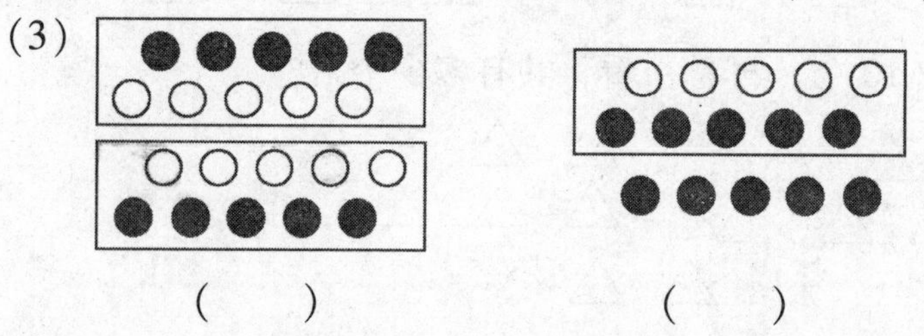

（　　）　　（　　）

（4）1 个十和 4 个一是（　　），7 个一和 1 个十是（　　）。

5. 看图填算式。

(1)

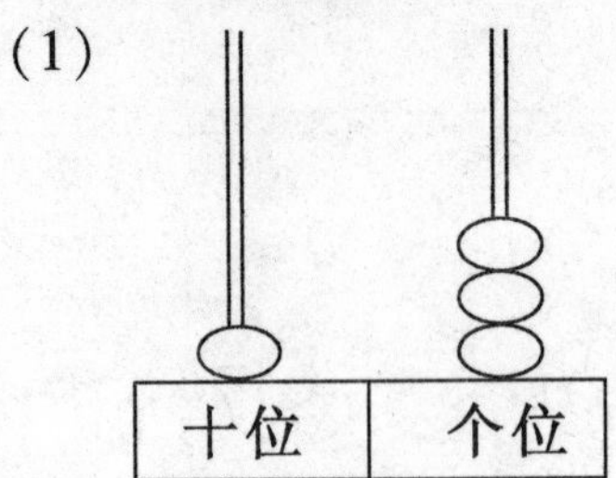

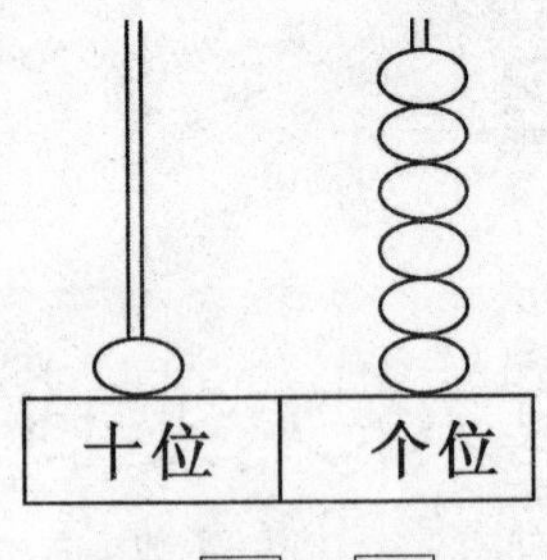

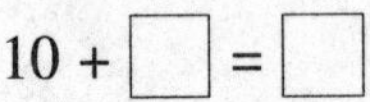

10 + □ = □

(2)

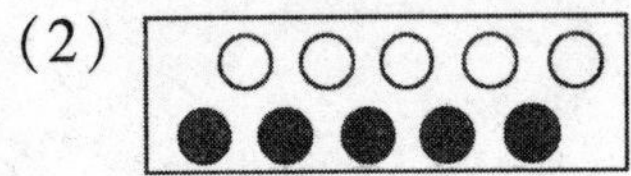

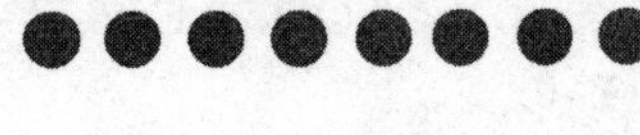

□○□ = □

□○□ = □

□○□ = □

6. 看图填算式。

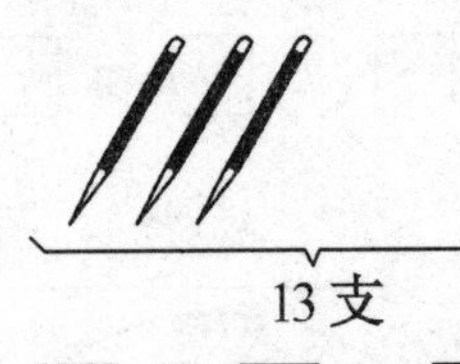

13支

□○□＝□

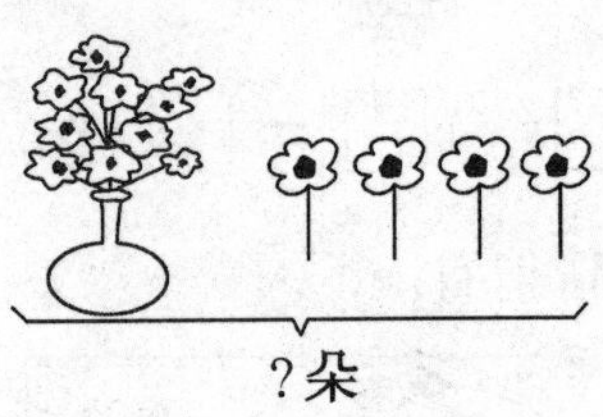

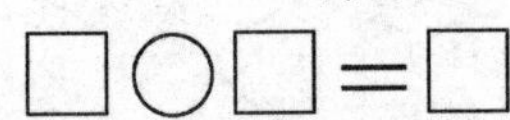

□○□＝□

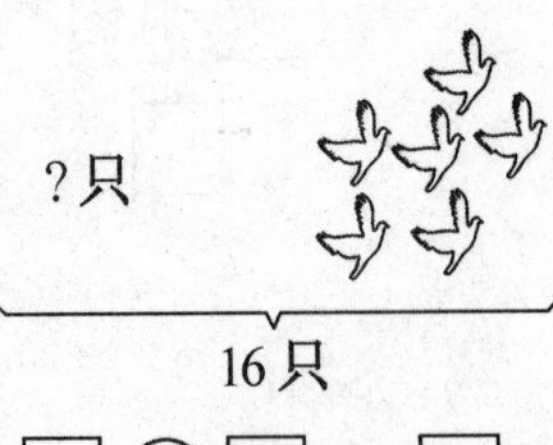

□○□＝□

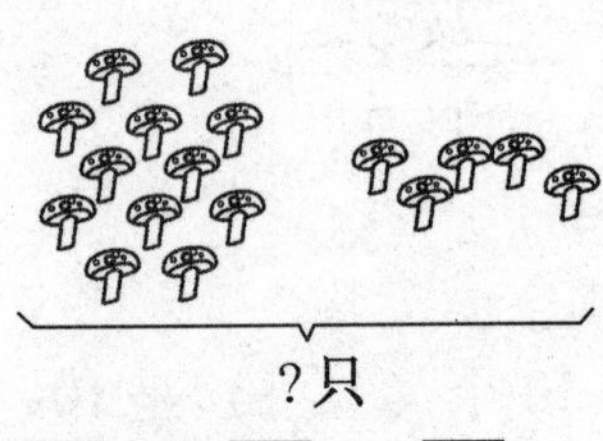

□○□＝□

7. 先圈出 10 个，再看一看，共有多少个△？

(1)

一共有（　　）个△。

（2）

一共有（　　）朵。

思维拓展

8. 树上有 15 只鸟，飞走了 3 只，树上还有几只鸟？

9. 桌子上有两盘桃，第一盘里有 16 个，第二盘比第一盘多 2 个，第二盘里有多少个桃？

10. 叔叔养了 15 条金鱼，后来又买了 4 条，现在叔叔有多少条金鱼？

11. 树上有 11 个气球，叔叔开枪打爆了 1 个，树上还有几个气球？

12．爷爷的缸里养了 19 条金鱼，早上爷爷发现死了 1 条，现在鱼缸里还剩几条金鱼？

13．小玲有 13 个苹果，吃了 3 个，小玲还有几个苹果？

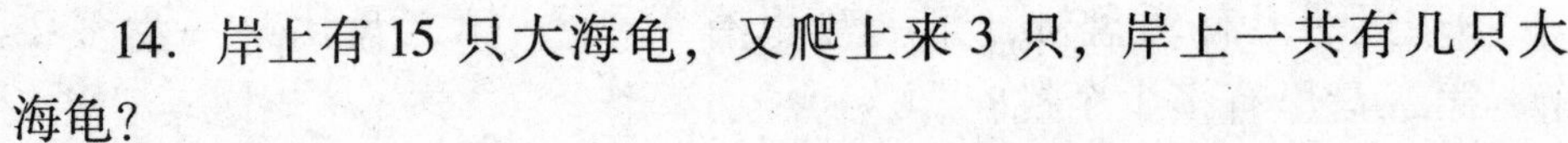

14．岸上有 15 只大海龟，又爬上来 3 只，岸上一共有几只大海龟？

15．水中有 14 条鲤鱼，又游来 4 条，水中一共有几条鲤鱼？

16．桌子上有 13 本书，明明又搬来 4 本，桌子上现在有几本书？

17. 大光有 10 块糖，小光也有同样多的糖。两个人共有多少块糖？

18. 18 个战士过河，有 7 个战士已经过河了，还有几个人没有过？

19. 12 个小朋友玩“丢手绢”游戏，一个人丢手绢，围成圆圈的有多少个小朋友？

20. 猫妈妈钓了 16 条鱼，小猫吃了 5 条，现在还剩多少条鱼？

智慧列车

21. 谁最聪明？

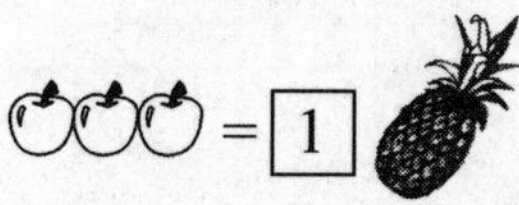

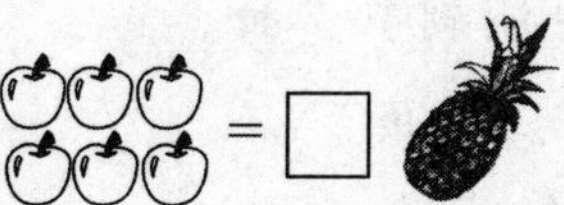

第七章 20以内的加减混合运算（一）

DIQIZHANG

小朋友，你们上节学了11~20以内的不进位加法和不退位减法，这节我们将学习加减混合运算。相信在学习的过程中，你的老师一定结合了生活中的一些小故事，令你感到既有趣，又有用。为了帮助你们把这些知识掌握得更扎实，我们特别安排了以下内容。

例题精讲

例1 看图列式。

分析与解答

原来车上有15人，下车3人，又上车5人，求现在车上有多少人？

解：15－3＋5＝17（人）

答：现在车上有17人。

例2 阳阳先做了12面旗，又做了6面旗，送给小朋友8面旗，他还剩多少面？

分析与解答

可以先求出阳阳两次做的总数，之后减去他送给小朋友的8面旗，就可以求出他还剩多少面。

解：12＋6－8＝10（面）

答：他还剩10面。

例3 同学们排队放学，小敏的前边有2个同学，后边有9个同学，小敏站的这一队一共有多少个同学？

分析与解答

这道题把小敏前边的同学和小敏后边的同学连同小敏合起来就是这一队的人数，用加法计算。

解：9+1+2=12（人）

答：小敏站的这一队一共有12个同学。

例4 小英原来有17块糖，第一天吃了3块，第二天吃了2块，现在还剩多少块糖？

分析与解答

我们知道小英原来有17块糖，第一天吃了一部分，第二天又吃了一部分，我们就从总数里去掉第一天吃的，再去掉第二天吃的，就可以求出剩下的糖有多少块。

解：17-3-2=12（块）

答：现在还剩12块糖。

基础练习

1. 看图列式计算。

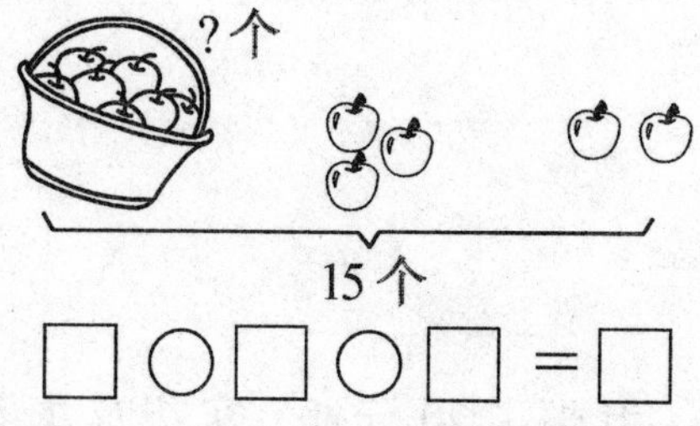

□○□○□=□

2. 看图列式计算。

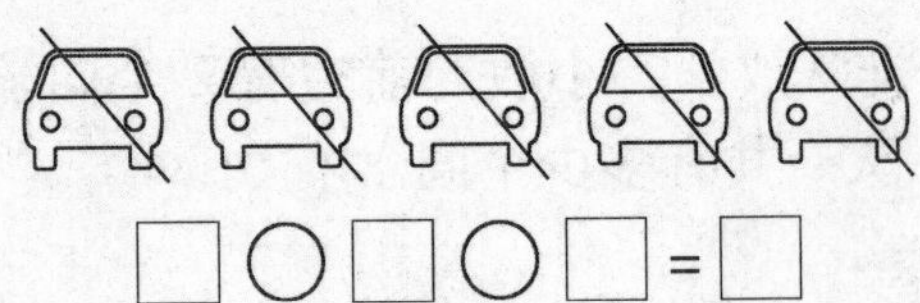

□○□○□=□

3. 看图列式计算。

□○□○□=□

思维拓展

4. 停车场有 18 辆车，开走了 8 辆，又开来了 7 辆，停车场现在有多少辆车？

5. 巴士上有 19 名乘客，到站下车 5 人，又上来了 4 人，巴士上现在有多少名乘客？

6. 妈妈去市场一共带了 20 元钱，买蔬菜花了 10 元，买水果花了 5 元，妈妈还剩多少元钱？

7. 草地上有10只大鸡，5只小鸡，又跑来5只鸡，草地上一共有几只鸡？

8. 小田家养的鸡有11只，鸭有3只，鹅的只数和鸭的只数同样多，小田家养的鸡、鸭、鹅共有多少只？

9. 晨晨原来有18支铅笔，第一个星期用2支，第二个星期用了3支，还剩多少支？

10. 公园里有8条大船，10条小船，租出去6条，还剩多少条船？

11．食堂运进18袋面，用去7袋，又运进2袋，食堂现在有多少袋面？

12．水果店里运进橘子6筐，苹果12筐，卖出8筐后，还剩多少筐？

13．人们排队上车，小明前面有3人，后面有9人，问这队共有多少人？

14．小燕左边有2个人，右边有12个人，小燕站的这一行一共有多少人？

15．16 个同学排成一队做操，小成的左边有 3 个同学，小成的右边有几个同学？

16．小花做了 11 颗星，小平做了 8 颗星，他们送给小朋友 7 颗，还剩几颗？

17．无论从前往后数，还是从后往前数，小云都排在第 5 个，这一队共有多少个同学？

智慧列车

18．好邻居。

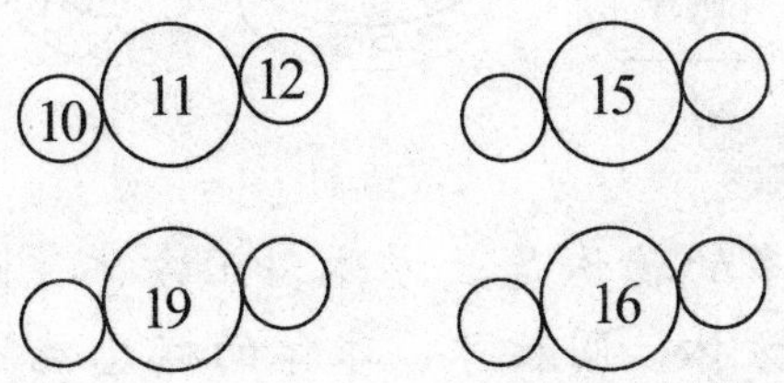

DIBAZHANG

有趣的图形

通过比较、观察，对长方体、正方体、圆柱、球以及长方形、正方形、三角形、圆形有一个感性的认识，知道每种图形的名称，了解其特点，并能迅速辨认。

第一节 认识物体和图形

小朋友，在生活中我们经常会用到或看到一些物体，如：文具盒、乒乓球、牙膏盒、水杯等等，你知道它们都是什么形体吗？它们各有什么特点？这一节的学习将会使我们对这几个问题有更进一步的认识。

例题精讲

例 1 说出下面物体的形状。

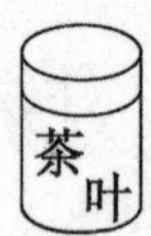

分析与解答

生活里，有很多的物体是长方体、正方体、圆柱体、球体，我们结合长方体、正方体、圆柱体、球体的概念就不难得知图中物体对应的形状了。

解： 矿泉水的纸箱是长方体，饼干筒是正方体，巧克力盒子、茶叶筒都是圆柱体，皮球是球体。

例 2 说一说各种形体的特点。

(1)

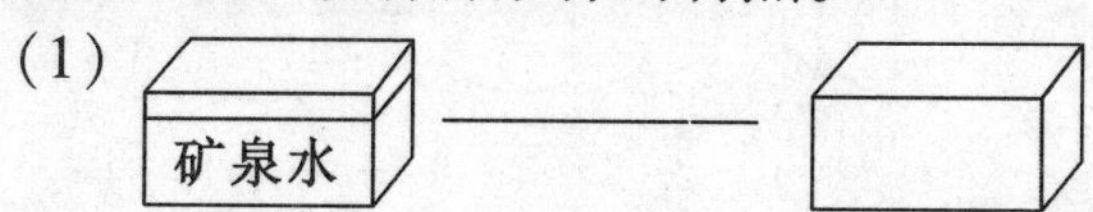

解：长方体有 6 个面，上下两个面的大小相同，前、后两个面的大小也相同，左右两个面的大小也相同，有时左右两个面是方方正正的。

(2)

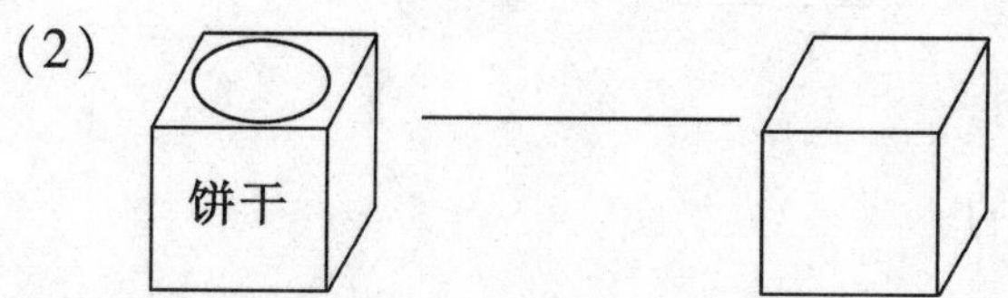

解：正方体有 6 个面，6 个面的大小都相同。

(3)

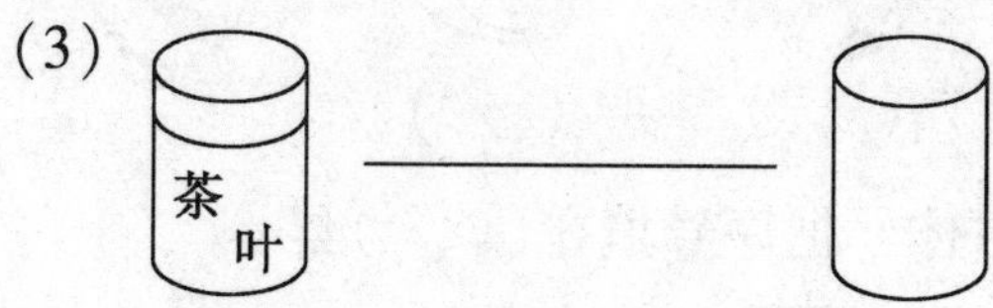

解：圆柱体的上下两个面是圆形的，大小相同，它的侧面是弯曲的，很光滑。

(4)

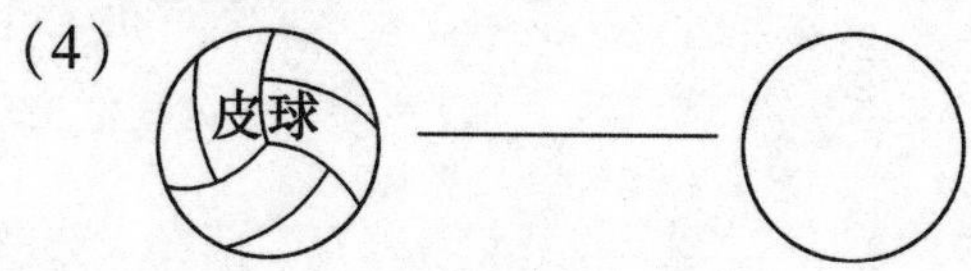

解：球的面是凸的，没有平面。

1. 判断，在正确答案下面的（ ）里打"√"。

(1) 下面图中是正方体的。

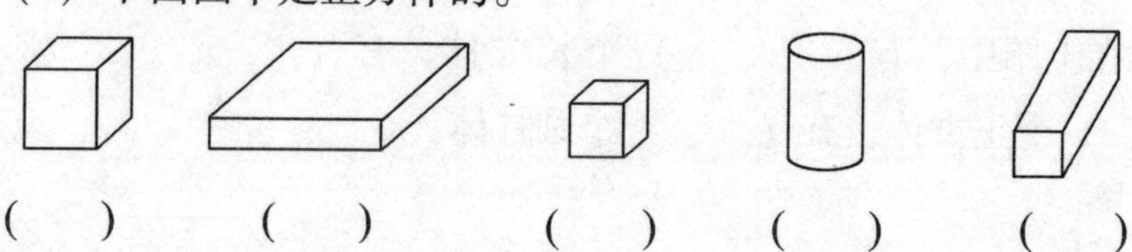

（ ） （ ） （ ） （ ） （ ）

（2）下面图中是长方体的。

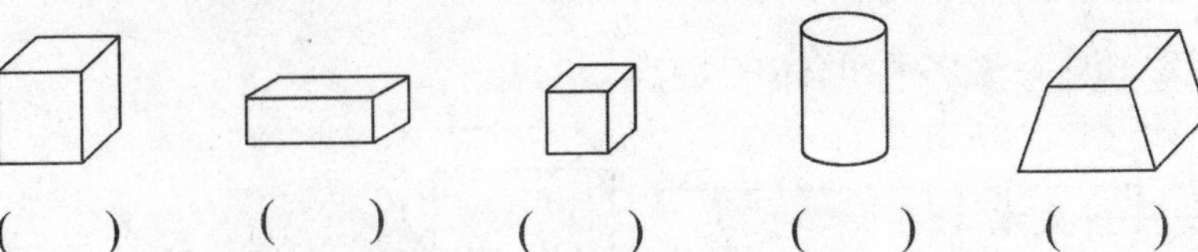

（　　）　（　　）　（　　）　（　　）　（　　）

（3）下面图中是圆柱的。

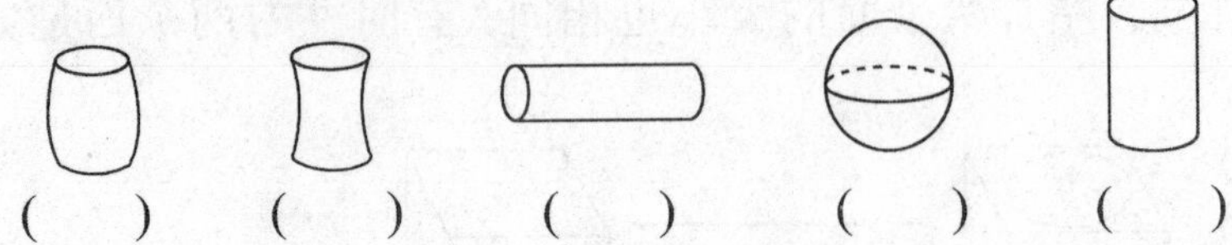

（　　）　（　　）　（　　）　（　　）　（　　）

（4）下面图中是球的。

（　　）　（　　）　（　　）　（　　）　（　　）

2. 下面图形哪些是长方体？把序号填在（　　）里。

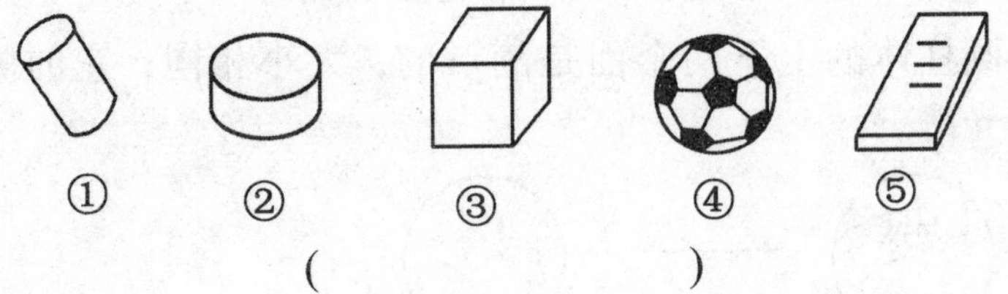

（　　　　　　　　）

3. 看图填空。

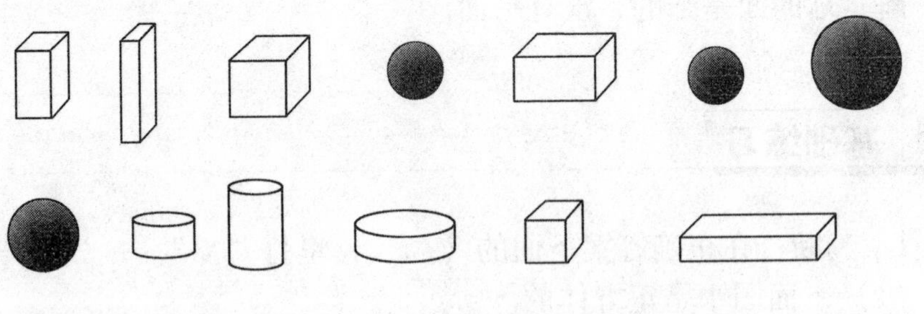

在上图中，有（　　　）个长方体，有（　　　）个球，有（　　）个正方体，有（　　）个圆柱体。

思维拓展

4. 下面的物品，是圆柱体的画“△”，是球的画“☆”。

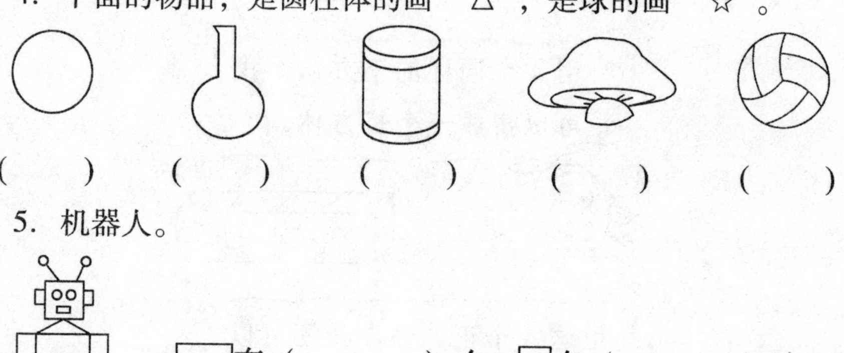

（　　）（　　）（　　）（　　）（　　）

5. 机器人。

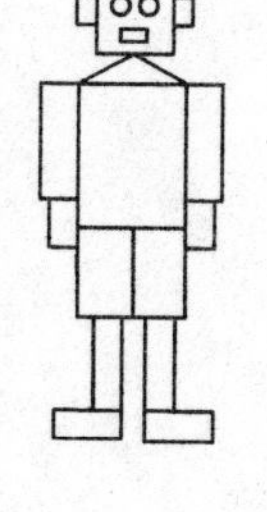

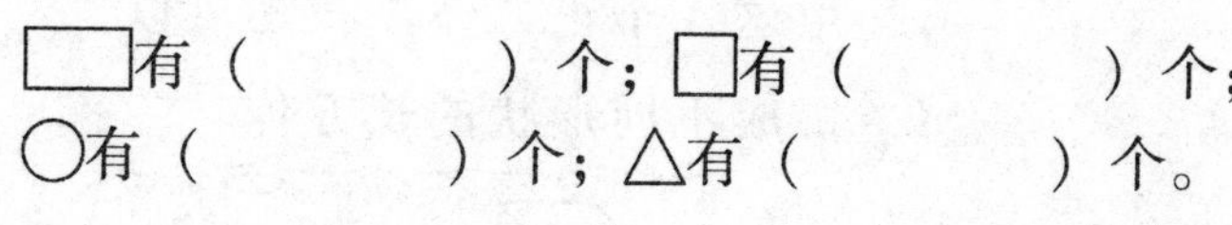

▭有（　　）个；□有（　　）个；
○有（　　）个；△有（　　）个。

智慧列车

6. 用▭、□、○、△组成一幅图。

第二节 立体图形的拼组

我们认识了一些立体图形，通过动脑、动手你就会把一些图形拼成有趣的新立体图形，并进一步体会出图形的特征及它们之间的一些关系。

例 1　拼一拼。

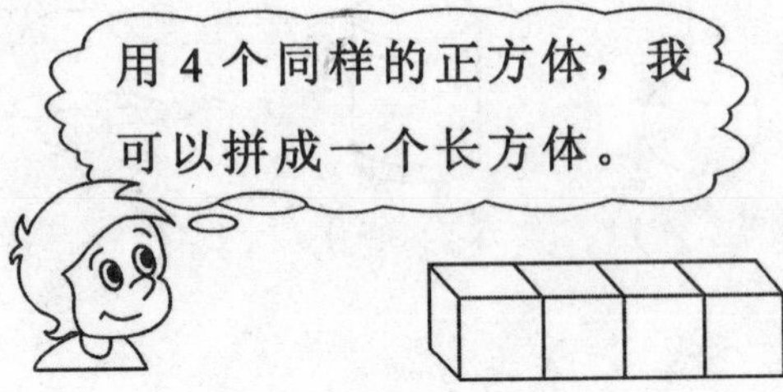

用这 4 个正方体，我还可以拼成不同形状的长方体。

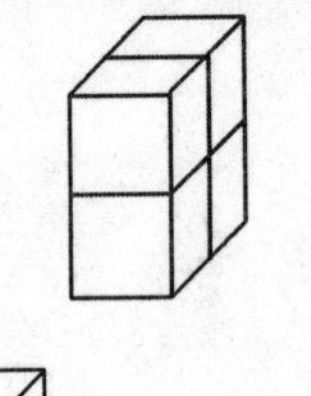

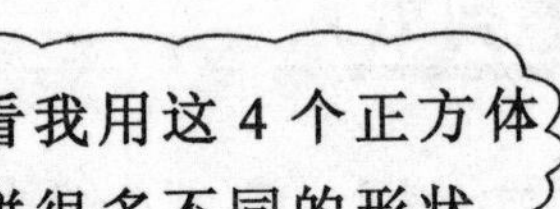

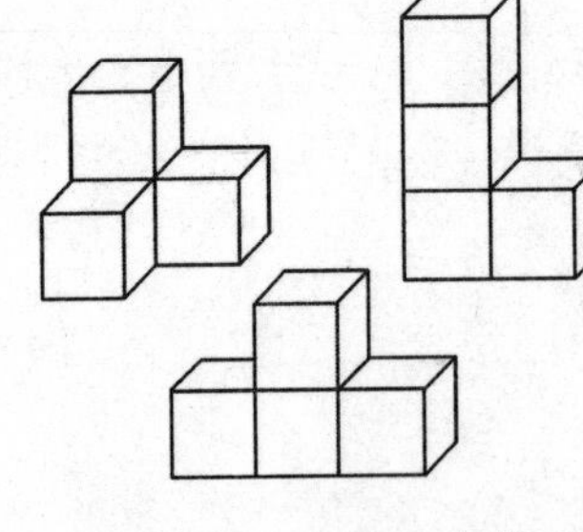

我用 8 个正方体，又可以拼成一个大正方体。

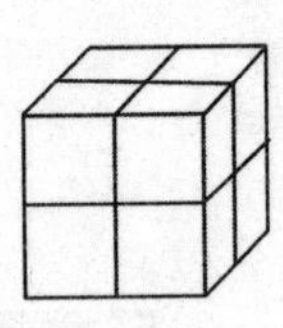

例 2 数一数、填一填。

有（　　）个；（　　）个；

有（　　）个；（　　）个。

分析与解答

图中的物体多，要分开数，数的时候要分别做个记号；可以先数长方体，长方体有 4 个，正方体有 5 个，圆柱体有 3 个，球体有 2 个。

解：有（4）个；（5）个；

有（3）个；（2）个。

例 3 数一数，这个图形中一共有几个正方体？

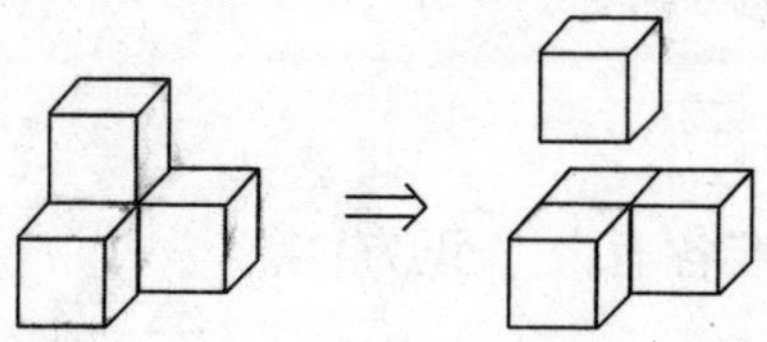

分析与解答

如果数成 3 个，就错了。因为在上面那个小正方体的下面，应该还有一个小正方体，否则它就掉下去了，共有 4 个正方体。

答：这个图形中一共有 4 个正方体。

基础练习

1. 数一数，填一填。

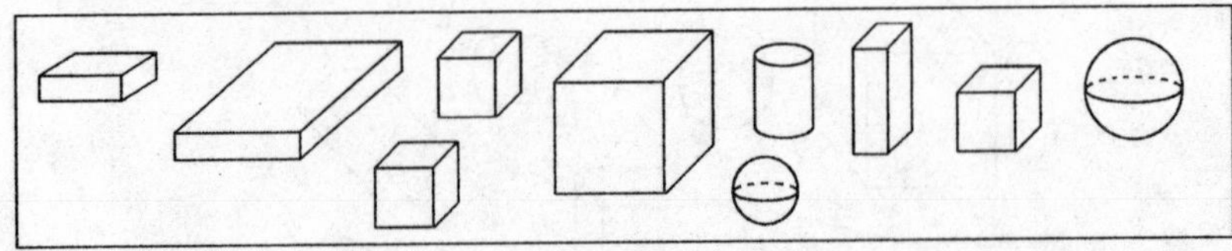

（1）有（　　）个，有（　　）个，有（　　）个，有（　　）个。

（2）和一共有（　　）个。

□○□=□

（3）和一共有（　　）个。

□○□=□

（4）比少（　　）个。

□○□=□

（5）比少（　　）个。

□○□=□

2. 数一数，每堆各有几个正方体。

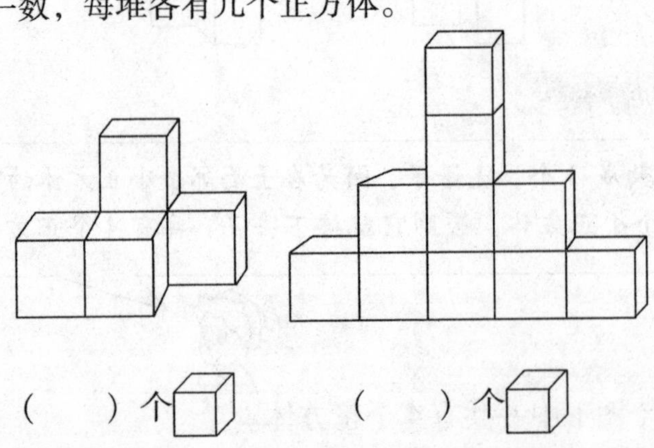

（　　）个　　　　（　　）个

思维拓展

3. 拼一拼，在下面图形中找出几个图形，拼成上面的图案。

(1)

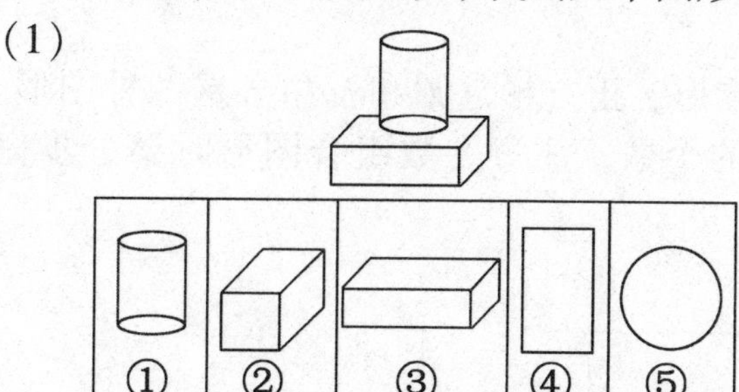

(2)

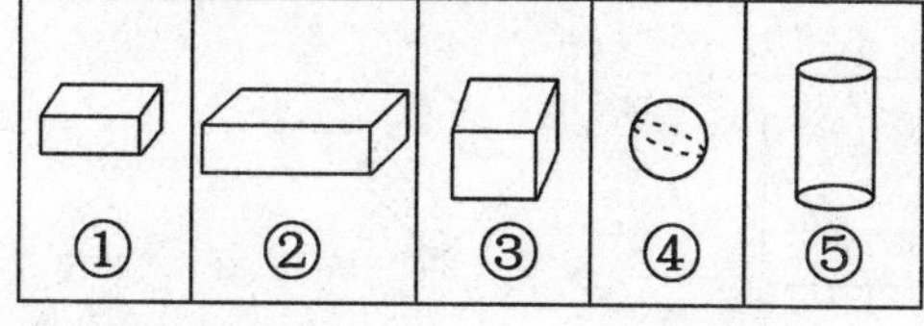

4. 找一找，填一填。

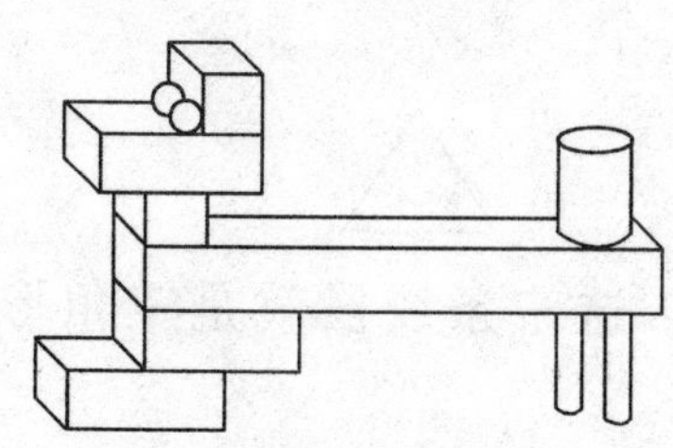

○有（　　）个；

有（　　）个；

有（　　）个；

有（　　）个。

5. 看图填表。

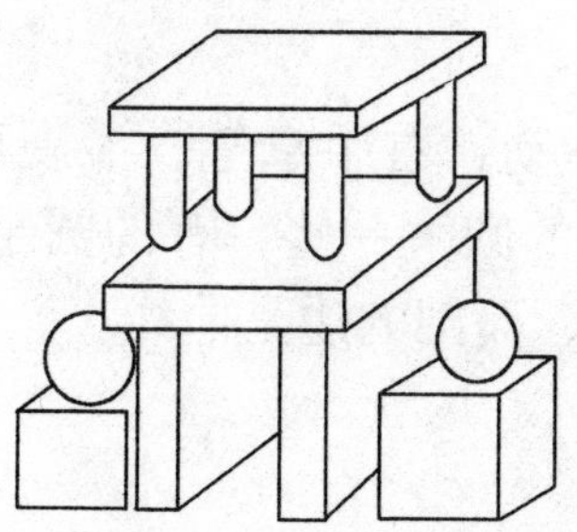

图形	个数
长方体	
正方体	
球	
圆柱	

第三节 认识平面图形

这一节我们认识长方形、正方形、圆和三角形这四种图形。本节要求同学们会数图形的个数，注意在数组合图形时要分步完成，做到不漏、不重复。

1．长方形

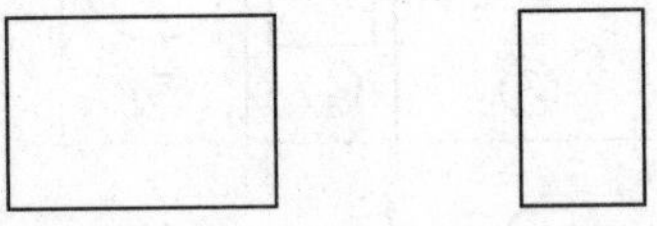

长方形是由四条线段连接起来的。两组对边平行且相等，四个角都是直角，上面这两个图形就是长方形。

2．正方形

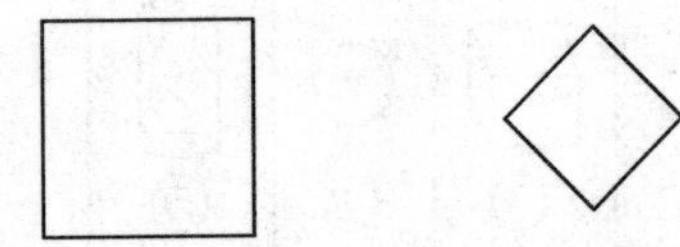

四条边都相等，四个角都是直角，这样的图形就是正方形。

3．三角形

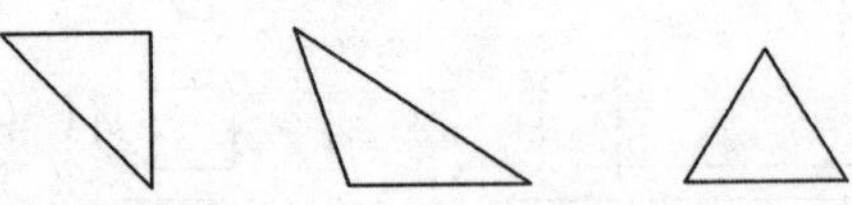

三角形是由三条线段连接成的，这三条线段就是三角形的三条边。

4．圆

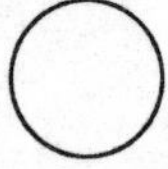

你把硬币放在纸上，用左手按住不动，右手拿笔，沿硬币的边画一周，像这样画出的图形就是圆，有的圆大一些，有的圆小一些。正方形、长方形、三角形的边都是直线，而圆的边是曲线。

例题精讲

例 1 数一数，填一填。

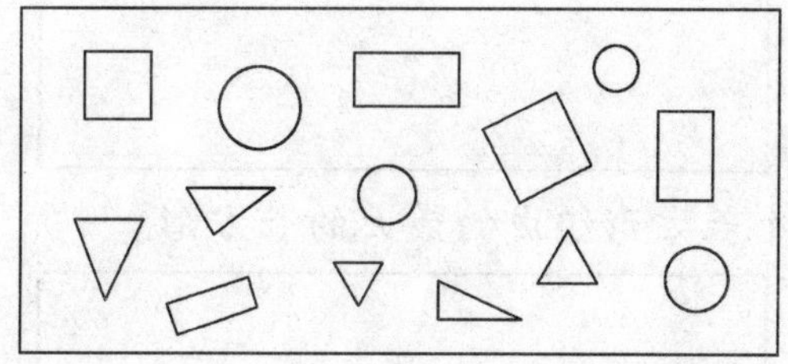

▭有（　　）个，　　　□有（　　）个，

△有（　　）个，　　　○有（　　）个。

分析与解答

同学们先要弄清什么样的图形是▭、□、△、○，然后再按顺序去数。

解：▭有（3）个，□有（2）个，△有（5）个，○有（4）个。

例 2 数一数，图中一共有多少个长方形。

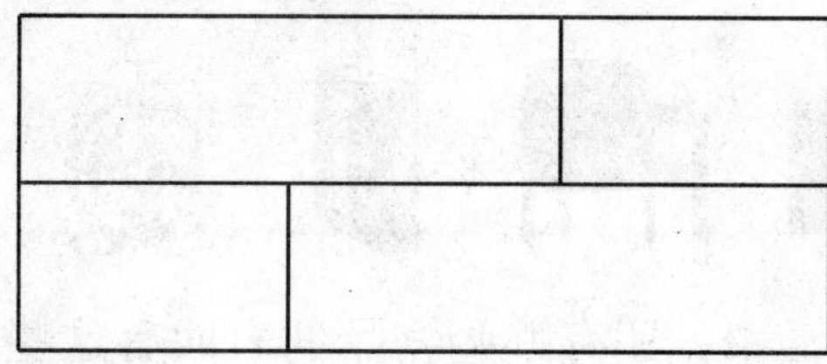

分析与解答

数长方形要分步完成，这样才能做到不漏、不重复。

先数单个长方形。

1　　2

3　　4

再数由两个长方形组成的大长方形。

5

6

最后数由4个长方形组成的最大的长方形。

7

这个图中应该有7个长方形。

解：4+2+1=7（个）

答：图中一共有7个长方形。

基础练习

1．看看，这些物品表面有你认识的图形吗？伸出你的小手，指给你的同伴看。

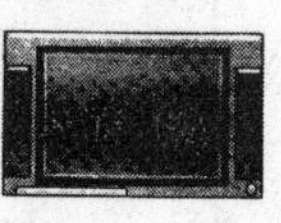  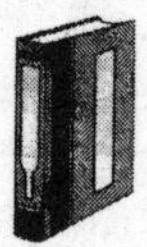  

2．你知道生活中，还有哪些物品的表面有这些图形吗？和小伙伴说一说。

3．连一连。

长方形　　圆　　正方形　　三角形

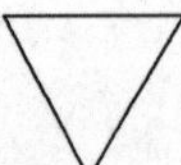 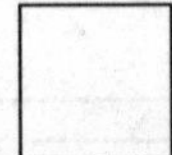  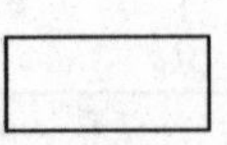  

思维拓展

4. 数一数。

(1) 中，有（　　）个正方形。

(2) 中，有（　　）个三角形。

(3) 中，有（　　）个长方形，有（　　）个正方形。

(4) 中，有（　　）个三角形，有(　　)个正方形。

(5) 中，有（　　）个长方形。

(6) 中，有（　　）个三角形。

5. 涂一涂。

(1) 给长方形涂上红色。

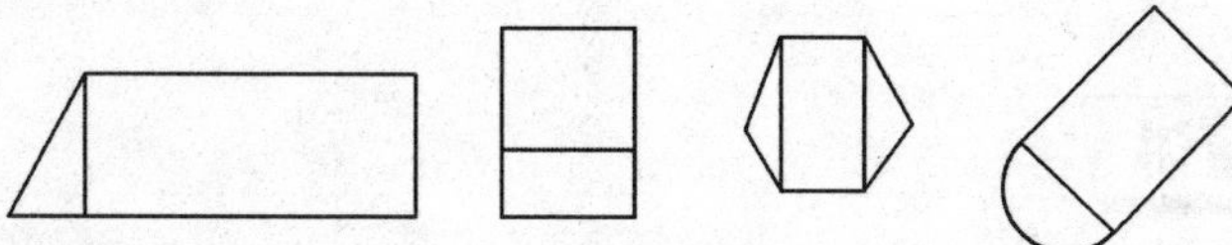

(2) 给圆涂上黄色。

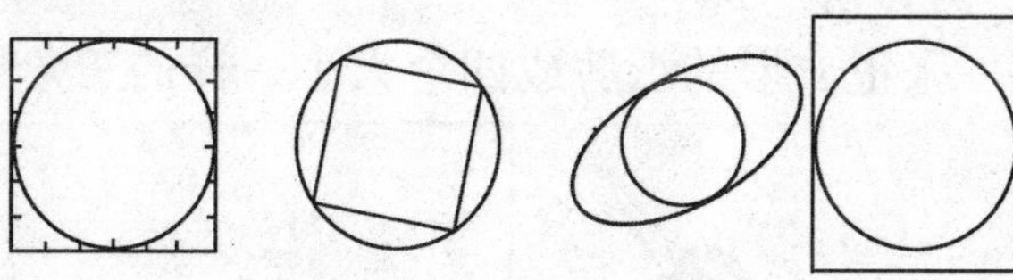

(3) 把下图中的长方形涂上红色，正方形涂上绿色，三角形涂上黄色，圆涂上蓝色。

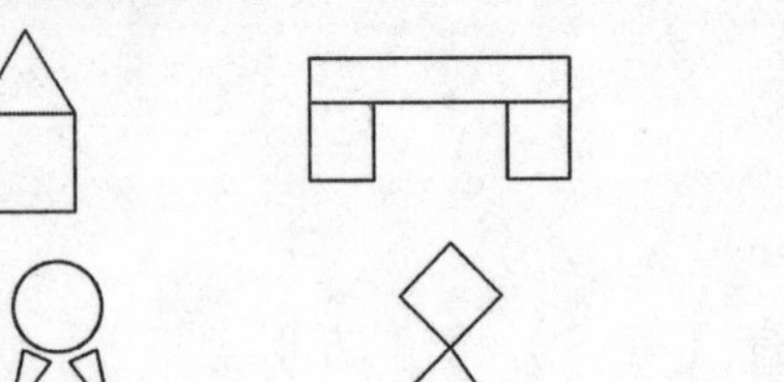

6. 数一数。

(1) 图中有（　　）个△；
有（　　）个□；
有（　　）个○；
有（　　）个▭。

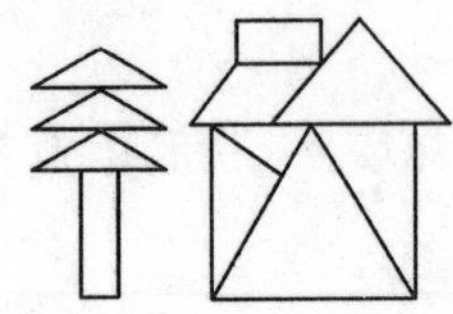

(2) 图中有（　　）个△；
有（　　）个▭；
有（　　）个□。

第四节 平面图形的拼组

通过动脑想，动手剪、拼，更进一步体会出长方形、正方形的特征及它们之间的一些关系。不仅能拼组图形，还要能分割图形。

例题精讲

例 1 剪一剪，拼一拼。

(1) 先将一张正方形的纸剪成四个大小一样的三角形。

（2）再用剪好的三角形拼成下面的图形。

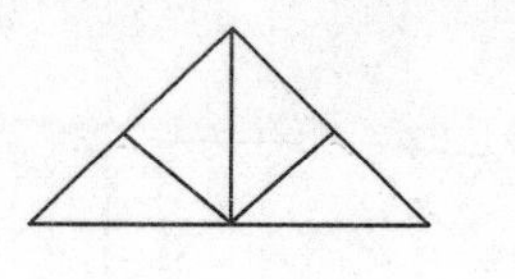

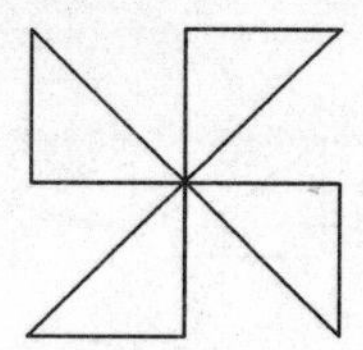

（3）再剪一些同样的三角形，你能拼出更多的图形吗？再数一数。

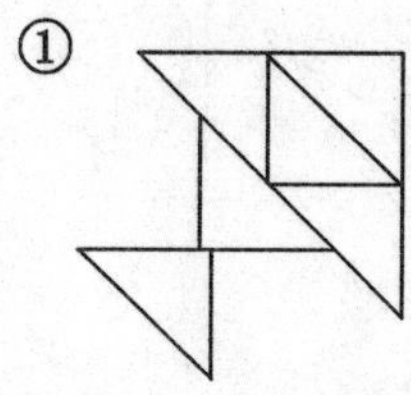

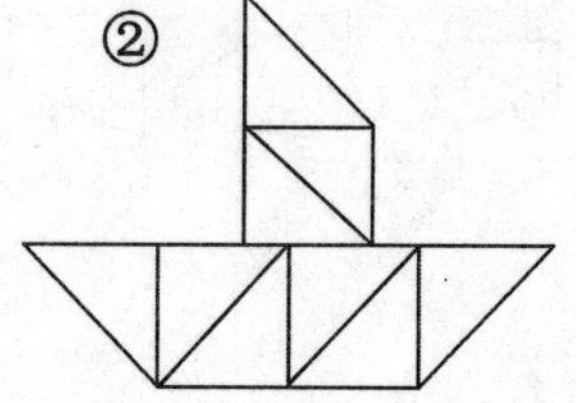

① 有（　　）个三角形　② 有（　　）个三角形

解： ① 有 7 个三角形　② 有 10 个三角形

例 2　用三角形、正方形、平行四边形和圆拼出熟悉的图。

分析与解答

请小朋友们自己动手用最基本的图形拼一拼。

解：

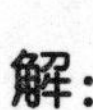

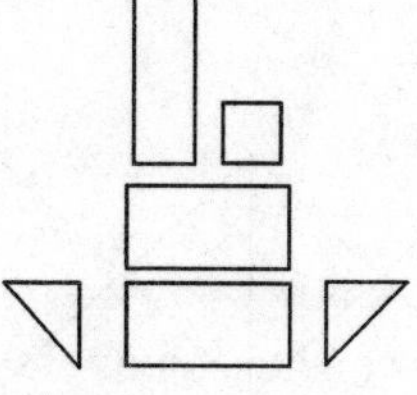

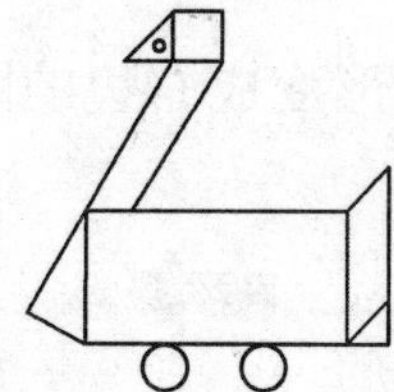

基础练习

1. 下面哪两个三角形能组成一个正方形？把它们涂上颜色。

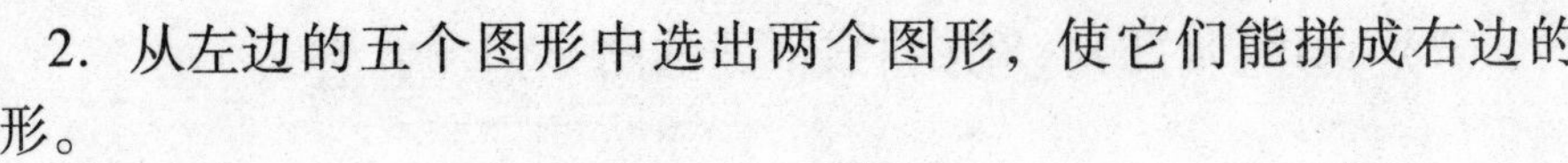

2. 从左边的五个图形中选出两个图形，使它们能拼成右边的图形。

①

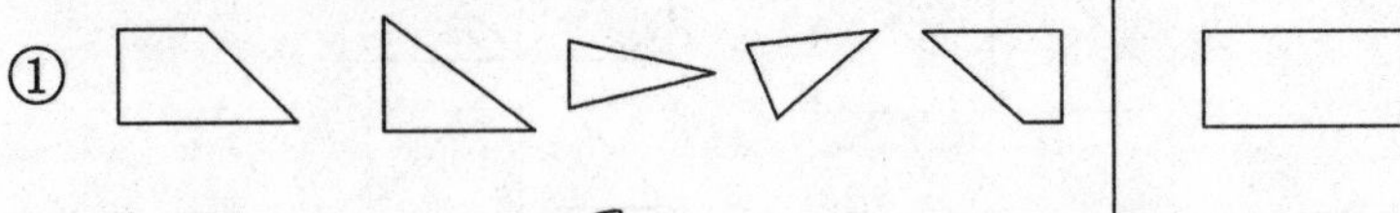

②

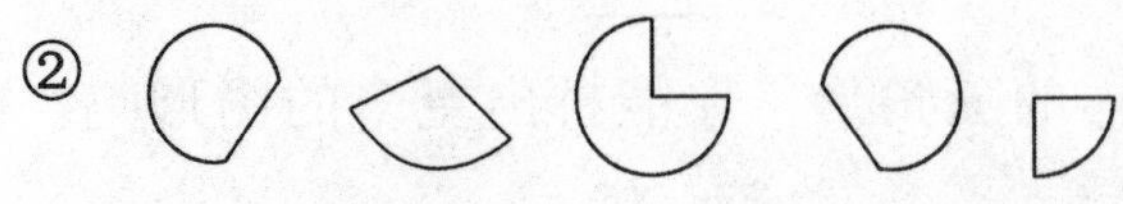

③

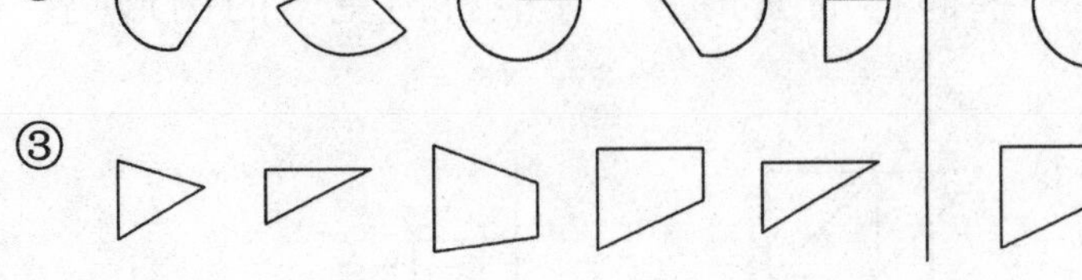

思维拓展

3. 剪一剪，拼一拼。

(1)

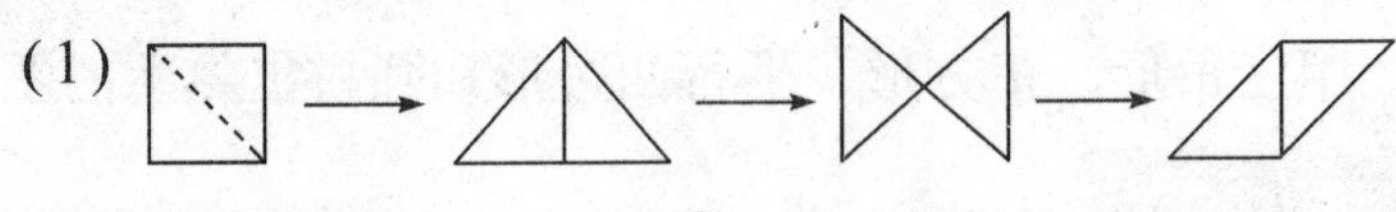

(2)

4. 挪动一块使左边图形变成右边的图形。

5. 想一想，接着画。

(1) ________

(2) ________

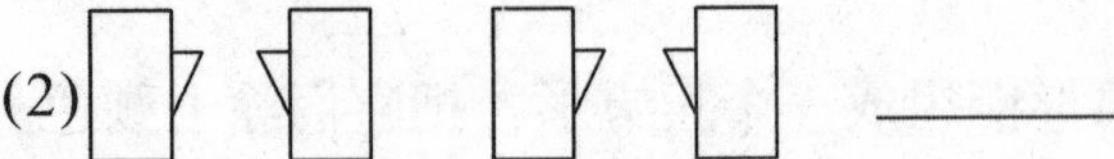

(3) ________

(4)

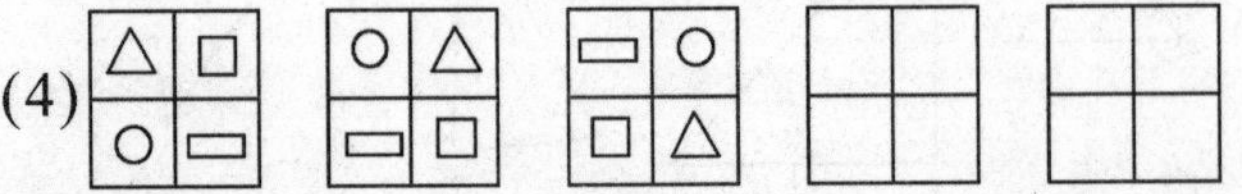

6. 数一数。

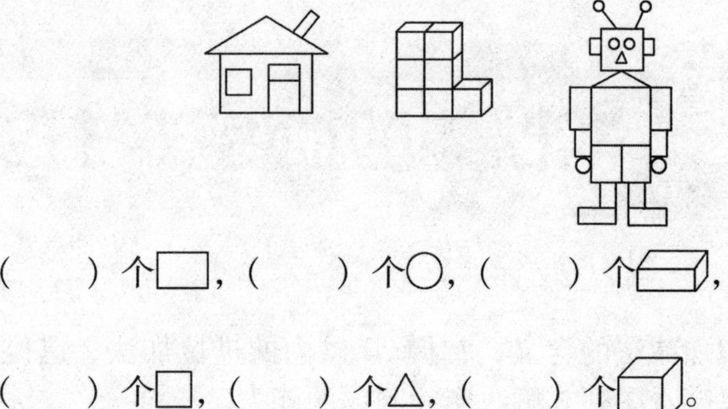

（　　）个▭，（　　）个○，（　　）个长方体，

（　　）个□，（　　）个△，（　　）个正方体。

智慧列车

7. 下面这个图只许剪一次，然后拼成一个长方形，你能办到吗？

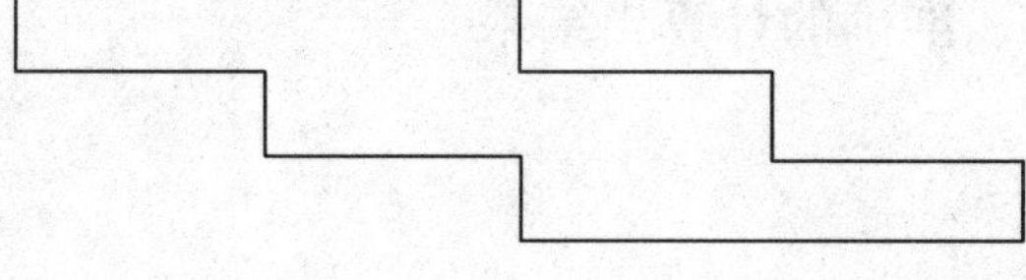

第九章 20以内的加减法（二）

DIJIUZHANG

进一步理解加减法的含义，掌握 20 以内的进位加法、退位减法的计算方法。提高看图列式解决实际问题的能力。

第一节 进位加法

能根据算式的不同，通过练习，选择自己喜欢或掌握较好的计算方法，能灵活、准确的计算出结果。

例题精讲

例 1 一共有多少个乒乓球。

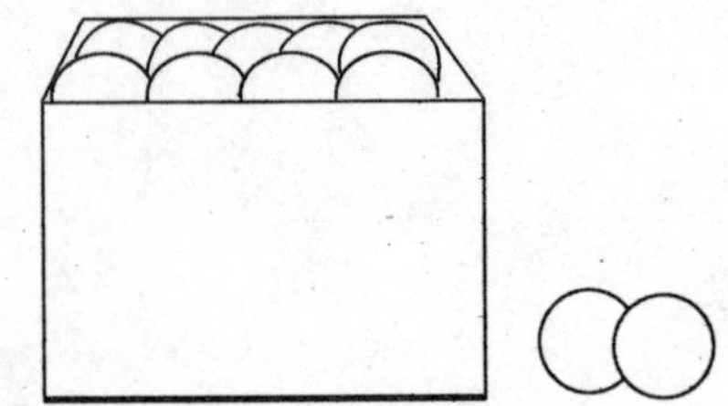

分析与解答

先放进 1 个乒乓球，凑满一盒 10 个，再算 10 + 1 = 11。

解： 9 + 2 = 11（个）

（2 分成 1 和 1，9 + 1 = 10）

答：一共有 11 个乒乓球。

例 2 一共有多少个萝卜？

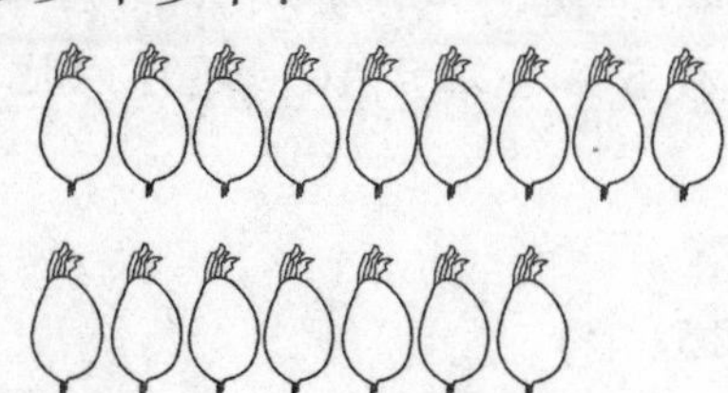

分析与解答

可以把 9 凑成 10 个，也可以把 7 凑成 10。

解：

方法一：9 + 7 = 16（个）

1 6

10

方法二：9 + 7 = 16（个）

6 3

10

答：一共有 16 个萝卜。

例 3 一共是多少朵花？

分析与解答

8 加 2 等于 10，10 加 4 等于 14。

解：8 + 6 = 14（朵）

2 4

10

答：一共是 14 朵花。

例 4 一共有多少个？

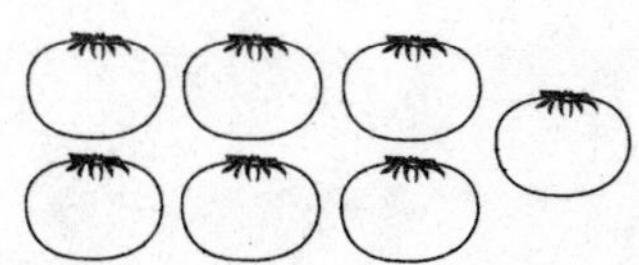

分析与解答

可以把8分成5和3，使3和7凑成10；也可以把8分成5和3，同时把7分成5和2，使5和5凑成10；还可以把7分成5和2，使2和8凑成10。

解：

方法一：8+7=15(个)

5 3

10

方法二：8+7=15(个)

3 5 5 2

10

方法三：8+7=15(个)

2 5

10

答：一共有15个。

例5 看图列式。

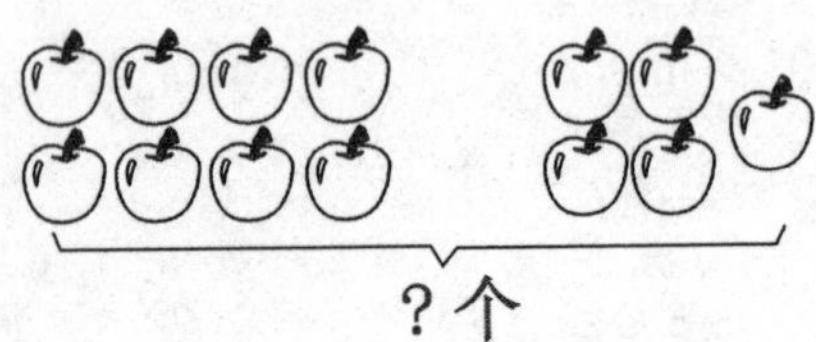

?个

分析与解答

可以把8分成5和3，也可以把5分成3和2，先凑出10。

解：

方法一：5+8=13(个)

5 3

10

方法二：8+5=13(个)

2 3

10

基础练习

1. 画一画，加一加。

(1) ●●●●● □

$5+\square=13$

(2) ●●● ●●● ●●● □

$9+\square=14$

(3) ●●● ●●● ●●● □

$9+\square=12$

2. 9根

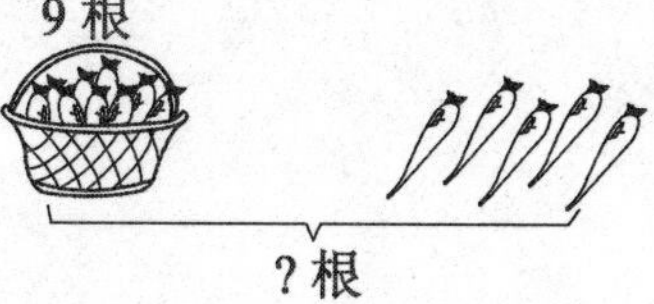

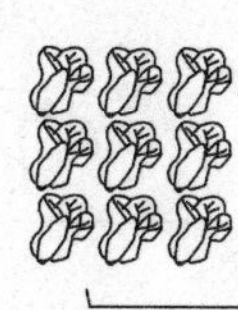

?根

?根

15根

$\square+\square=\square$　　　$\square-\square=\square$

3. 先用○摆一摆，再计算。

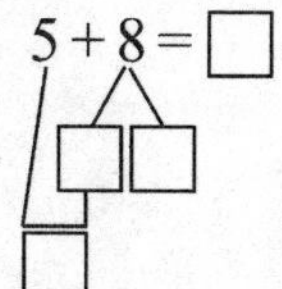

$5+8=\square$

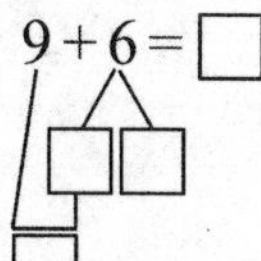

$9+6=\square$

4. 加一加。

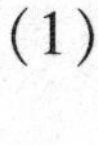

(1)

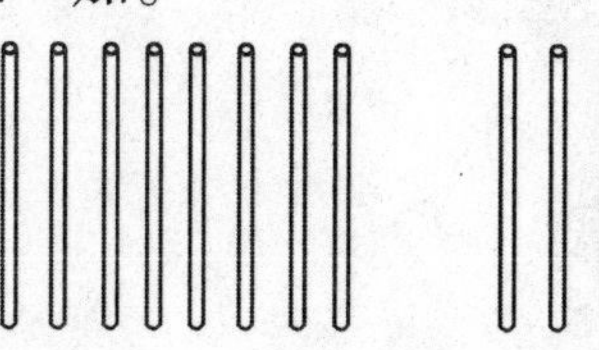

□○□＝□

□○□＝□

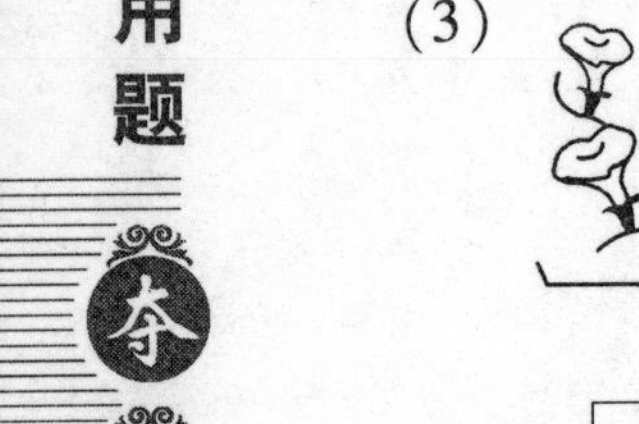

(2) 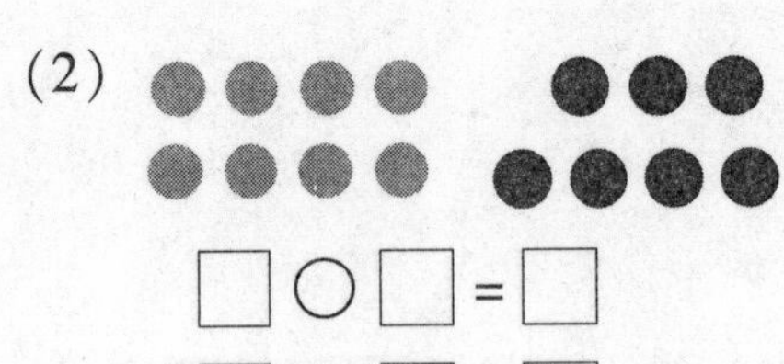

□○□=□

□○□=□

(3) 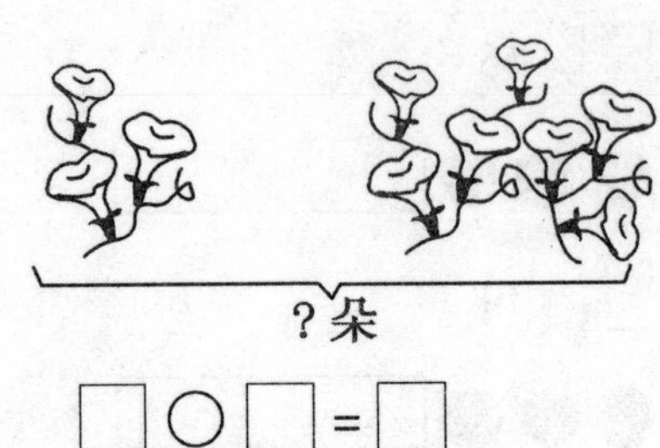

?朵

□○□=□

□○□=□

(4) 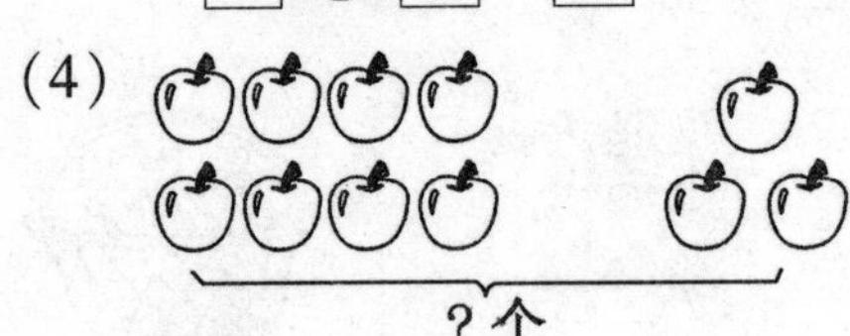

?个

□○□=□

□○□=□

(5) 

□○□=□

□○□=□

(6)

□○□=□

□○□=□

5. 看图列算式。

（1）

□ + □ = □

□ − □ = □

（2）

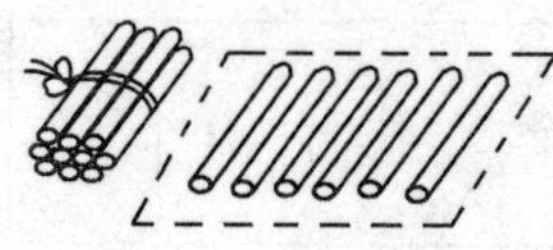

□ + □ = □

□ − □ = □

（3）

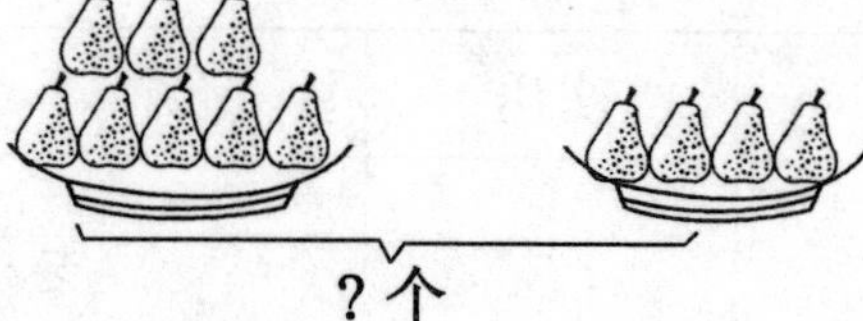

□○□ = □（个）

□○□ = □（个）

（4）

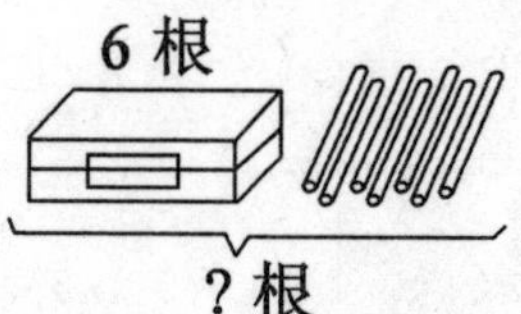

□○□ = □（根）

□○□ = □（根）

思维拓展

6．看图填数。

	原有	借出	还剩
	17 个	9 个	（　　）个
	（　　）个	5 个	10 个
	11 个	（　　）个	2 个

7．填表。

	原来	卖出	还剩
	14 支	7 支	（　　）支
	13 块	5 块	（　　）块
	17 个	8 个	（　　）个
	10 本	6 本	（　　）本

8．算一算。

	一班有	二班有	一共有
	5 个	7 个	（　　）个

	9个	4个	（　　）个
	8根	8根	（　　）根
	5个	8个	（　　）个

9. 选择正确的算式。（正确的算式打“√”）

（1）一年级有3个足球，又买了7个，现在共有几个？

A. 3+7=12（个）　　B. 3+7=10（个）

C. 7+3=10（个）

（2）操场上有10个同学，走了4个，还剩几个？

A. 10+4=14（个）　　B. 10-4=6（个）

C. 6+4=10（个）

10. 小峰第一次踢了8个⚽，第二次踢了7个⚽，两次一共踢了多少个？

11. 小明有4张红纸、6张蓝纸，每张纸可折一只纸鹤，可以折多少只纸鹤？

12. 花坛里有 9 盆牡丹花，9 盆玫瑰花，花坛里一共有多少盆花？

13. 一年级一班有 11 张桌子，一年级二班有 8 张桌子，一年级一班和二班一共有多少张桌子？

14. 同学们给小树浇水，女生浇了 7 棵，男生浇了 9 棵，同学们一共浇了多少棵树？

15. 木工叔叔昨天做了 6 把小椅子，今天做了 7 把小椅子，木工叔叔昨天和今天一共做了多少把小椅子？

16. 小白猫和小花猫到河边去钓鱼，小白猫钓了9条，小白猫再钓3条就跟小花猫一样多了，小花猫钓了多少条鱼？

17. 食堂里运来20袋面，第一个月用去8袋，第二月用去9袋，两个月一共用了多少袋面？

智慧列车

18. 2、4、5、6、7和10分别填入下面的括号里（每个数只能用一次），使两个算式成立。

(　　)+(　　) = (　　)

(　　)-(　　) = (　　)

第二节 退位减法

通过正确理解实际问题，会用“想加做减”和“破十法”等方法来正确计算十几减几的20以内的退位减法。

例题精讲

例 1

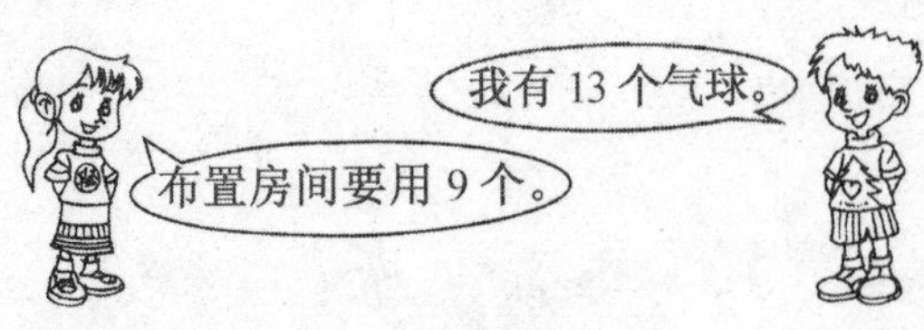

还剩多少个?

分析与解答

将 13 分成 10 + 3，先用 10 减 9 得 1，再用 3 + 1 得 4。

即　13 - 9 = 4

（13 分成 3 和 10，10 - 9 = 1）

解：13 - 9 = 4（个）

答：还剩 4 个。

例 2　16 - 9 = □

分析与解答

解：16 - 9 = 7

例 3

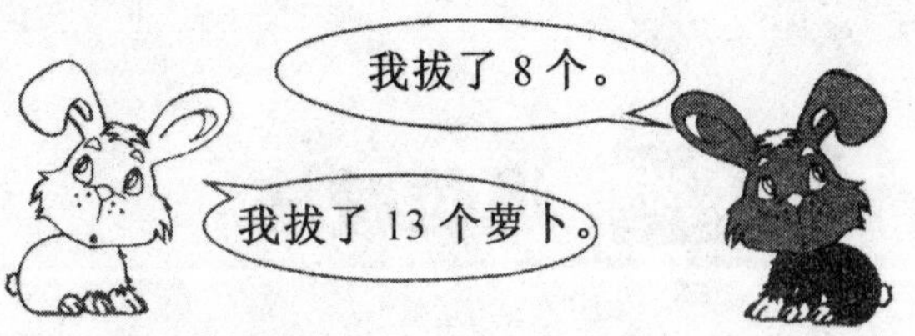

谁拔的萝卜多？多几个？

13 - 8 = □

解：方法一：因为 10 - 8 = 2　　2 + 3 = 5

所以 13 - 8 = 5（个）

方法二：因为 $13-3=10$　　$10-5=5$

所以 $13-8=5$（个）

方法三：因为 $8+5=13$

所以 $13-8=5$（个）

答：小白兔拔的萝卜多，多5个。

例4 ❀❀❀❀❀❀❀❀ ❀❀❀❀❀❀❀ 我拿走6片，还剩几片？

解：$15-6=9$（片）　　$15-6=9$（片）

5 10　　　　　　　　5 1

4　　　　　　　　　10

答：还剩9片。

例5

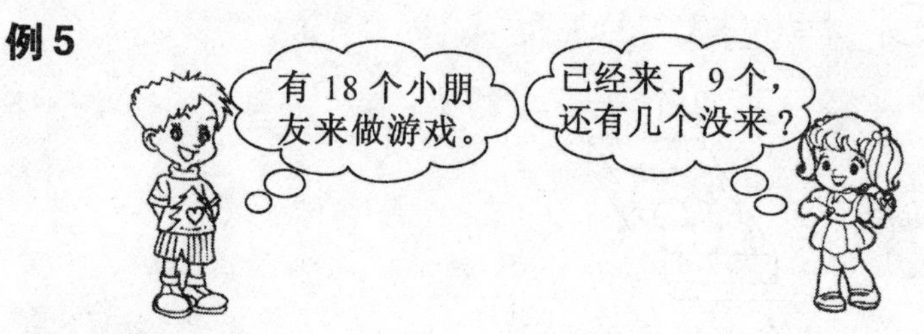

分析与解答

通过已知条件可知：有18个小朋友要做游戏，已经来了9个小朋友，求还有多少个小朋友没有来，就是求从18里去掉来的9个，用减法计算。

解：$18-9=9$（个）

答：还有9个没来。

例6

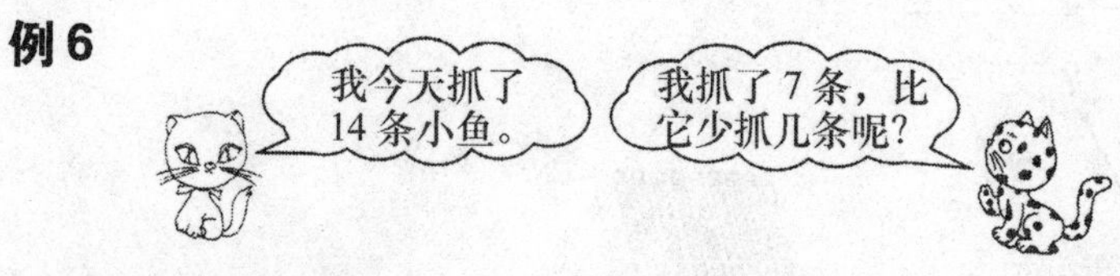

分析与解答

根据已知条件可知：白猫抓了14条小鱼，花猫抓了7条小鱼，要求花猫比白猫少抓几条，也就是求14比7多几．由此可得出用减法计算。

解：14 - 7 = 7（条）

答：花猫比白猫少抓 7 条。

基础练习

1. 看图列式计算。

（1） ？个

12 个

□○□ = □（个）

（2） ？个

14 个

□○□ = □（个）

（3） ？朵

12 朵

□○□ = □（朵）

（4） ？支

15 支

□○□ = □（支）

(5)

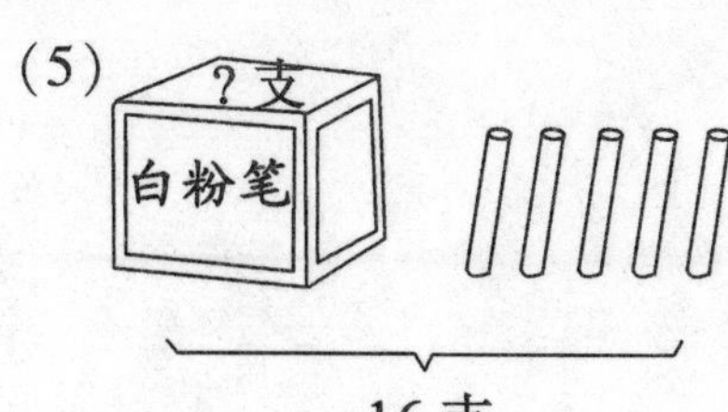

16 支

□○□ = □（支）

(6)

我吃了几个?

17 个

□○□ = □（个）

(7)

飞走了
几只?

12 只

□○□ = □（只）

(8)

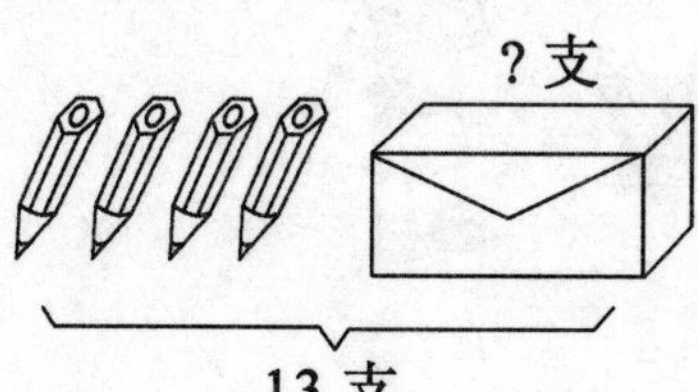

13 支

□○□ = □（支）

(9)

吃了几条?

11 条

□○□ = □（条）

(10) 吃了几根？

14 根

□○□ = □（根）

2. 看图列式。

(1) 草地上原有 12 只小鸟吃虫子，飞走了 6 只。

草地上还剩几只小鸟？12 - □ = □（只）

(2)

还剩下多少个苹果？□ - □ = □（个）

(3)

还有几把没拿走？□ - □ = □（把）

（4）

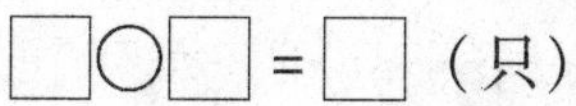

（5）

哥哥采了多少个？□○□ = □（个）

（6）

参加跳绳的同学走了几个人？□○□ = □（个）

（7）

踢毽子的同学有几人去劳动了？□○□ = □（人）

(8)

还要来几个人玩丢手绢游戏？□○□＝□（个）

思维拓展

3．看图列算式。

（1）

□＋□＝□　　□＋□＝□

□＋□＝□　　□＋□＝□

□－□＝□　　□－□＝□

□－□＝□　　□－□＝□

（2）

分给我们每人一个苹果。

还剩多少个苹果？□○□＝□（个）

(3) 

树上还有多少个柿子？□○□ = □（个）

4. 草地上有 14 只长颈鹿在吃草，走了 8 只，还剩多少只长颈鹿在吃草？

5. 小兔子拔了 16 个萝卜，送给小熊 7 个，还剩下多少个萝卜？

6. 猴子一天摘了 17 个桃子，吃了 9 个，还剩几个桃子？

7. 小松鼠的袋子里原来有 14 个松果。

小松鼠的袋子里还剩几个松果?

8. 星期天，小猫钓了 15 条鱼，晚饭吃了 7 条，小猫还剩几条鱼?

9. 水果店原有 14 箱水果，上午卖了 6 箱，还剩多少箱?

10. 哥哥 12 岁，弟弟 8 岁，哥哥比弟弟大几岁?

11. 学校体育室有足球 20 个，排球 9 个，问：足球比排球多多少个？

12. 合唱队里有男生 14 人，女生 6 人，男生比女生多几人？

13. 一本连环画有 20 页，还有 4 页未看，看了多少页？

14. 食堂运来 13 袋大米，吃了一些后，还剩下 8 袋，吃了多少袋大米？

智慧列车

15. 17 个小朋友排成一队，华华的前面有 8 个人，你知道华华的后面有多少人吗？

第十章 20以内的加减混合运算（二）

DISHIZHANG

通过练习，联系生活实际，知道连加、连减运算的顺序和方法，体会生活里的数学问题是多种多样、十分有趣的。

例题精讲

例1 根据图意，一共有几个沙发?

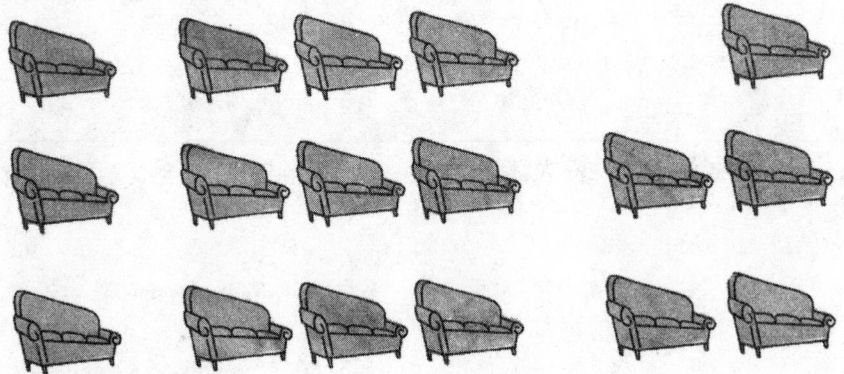

分析与解答

左边有3个沙发，中间有9个，右边有5个，三个数连加就求出了总个数。

解：3+9+5=17（个）

答：一共有17个沙发。

例2 根据图意，还剩几把刀？

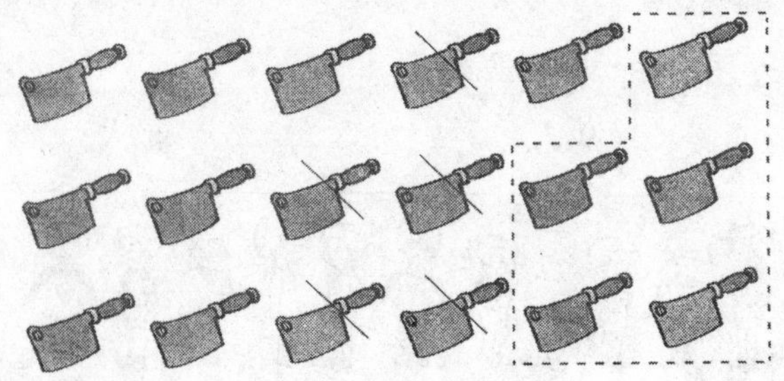

分析与解答

要看清图中的总数，先拿走几把，又拿走几把。用总数减去先拿走的一部分，再减去后拿走的一部分，就是剩下的一部分。

解：18－5－5＝8（把）

答：还剩8把刀。

例3 树上开了14朵花，被风吹落4朵，第二天又开了6朵，现在树上有多少朵花？

分析与解答

告诉树上原来开了14朵花，被风吹落4朵，第二天又开了6朵。要求现在树上开着多少朵花，就是从14朵中去掉4朵，再添上6朵。

解：14－4＋6＝16（朵）

答：现在树上有16朵花。

例4 小青种了6盆花，小白种了8盆花，她们俩把其中的4盆花送给一位老爷爷，她们自己还剩多少盆花？

分析与解答

要求她们还剩多少盆，必须知道小青种的花的盆数和小白种的花的盆数，把她们一共种的加起来，再从总数中去掉送给老爷爷的盆数。

解：6＋8－4＝10（盆）

答：她们自己还剩下10盆。

例5 短跑组的同学排成一队，从前往后数，小华排在第9个，从后往前数，小华排在第5个，这个短跑队共有多少个队员？

分析与解答

这道题通过图分析就好理解了。

从图上看，小华既在 9 人里，又在 5 人里。说明小华被数了两次，因此用 9 + 5 = 14（人），然后再减 1 等于 13 人，这队共 13 人。

还可以把图这样画

从前往后数小华在第 9 个，从后往前数小华排在第 5 个，也就是小华后面有 4 个人。

解：方法一：(9 + 5) − 1 = 13（个）

方法二：9 + (5 − 1) = 13（个）

答：这个短跑队共有 13 个队员。

基础练习

1. 看图列式计算。

(1)

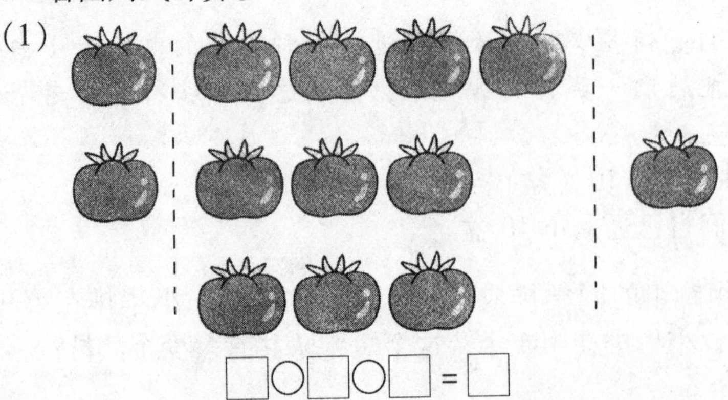

□○□○□ = □

(2)

□○□○□ = □

(3)

□○□○□ = □

(4)

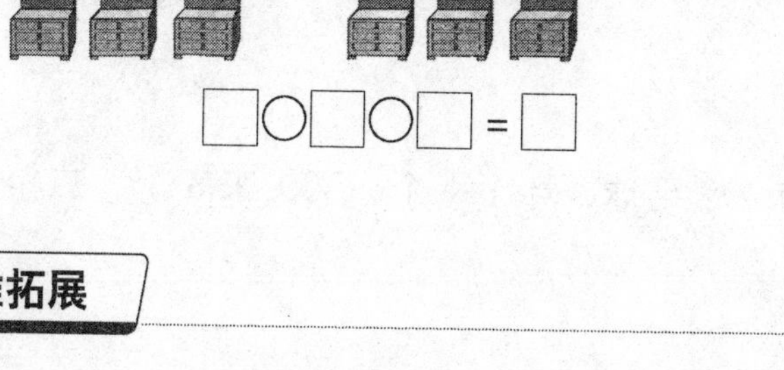

□○□○□ = □

思维拓展

2. 操场上 7 名同学在跳绳，走了 5 名，又来了 12 名同学，操场上现在有几名同学在跳绳？

3. 小百货里原来有 7 把牙刷，卖出 6 把后，又购进 10 把，小百货现在有多少把牙刷?

4. 小丽有 7 本故事书，小红的故事书跟小丽的一样多，小丽和小红一共有多少本故事书?

5. 小明有 3 支铅笔，由于考试成绩优秀，妈妈奖给他 7 支，老师奖给他 5 支，小明现在一共有多少支铅笔?

6. 二年级有 4 个足球，坏了 1 个，又买来 8 个，二年级现在有几个足球?

7. 家里有 8 个杯子，打破了 2 个，又买来 8 个，家里现在有多少个杯子？

8. 书架第一层有 4 本书，第二层有 5 本书，第三层有 3 本书，书架上一共有几本书？

9. 弟弟今年 8 岁，姐姐比弟弟大 2 岁，哥哥比姐姐大 2 岁，哥哥今年几岁？

10. 小红画了 3 个鸡蛋，小华画了 4 个鸡蛋，小刚画了 6 个鸡蛋，小红、小华和小刚一共画了多少鸡蛋？

11. 弟弟今年4岁，哥哥比弟弟大7岁，2年后哥哥多少岁？

12. 小刚今天学了11个生字，比昨天多学了2个，小刚昨天和今天一共学了多少个生字？

13. 某水果店运进19个西瓜，卖出了7个后，又运进了8个，水果店现在有多少个西瓜？

14. 小朋友们排成一行，从左边数起，亮亮是第9个，从右边数起，他是第6个，这一行有多少个小朋友？

15. 有一根 13 米长的钢管，第一次用去 3 米，第二次用去 5 米，两次一共用去多少米？

16. 小朋友排队去公园，从前面数，小阳是第 12 个，从后面数，小阳是第 8 个，这队小朋友一共有多少个人？

智慧列车

17. 小亮有 8 本故事书，小明的书再多 2 本就和小亮的同样多，两个人一共有多少本故事书？

第十一章 生活中的数（二）

DISHIYIZHANG

我们学了按顺序数简单的物体和图形的个数，这一章的数比较大，数物体个数时可以五个五个地数，也可以十个十个地数，但要细心，做到数得又快又准确。理解数的组成，并正确地读、写数。

通过数数，比较大小，能感受到数字在生活中是无处不在的，也能体会到数中的一些乐趣。

第一节 数数 数的组成

让学生能用不同的方法去数同一个数，知道每个数是由几个一、几个十组成。

例题精讲

例 1

△	△	△	△	△	△	△	○	○	○
○	○	○	○	○	○	○	△	△	△
△	△	△	○	○	△	△	○	○	△
○	○	○	△	△	○	○	△	△	○
△	△	△	△	△	△	△	△	△	△
○	○	○	○	○	○	○	○	○	○
△	△	○	○	△	○	○	△	○	○

分析与解答

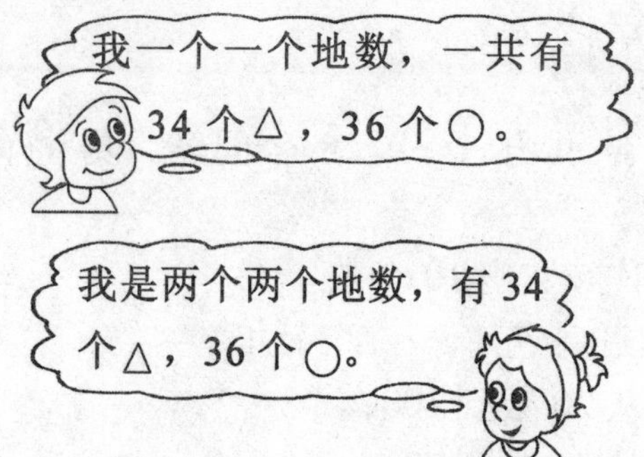

解：有（34）个△，（36）个○。

例 2

分析与解答

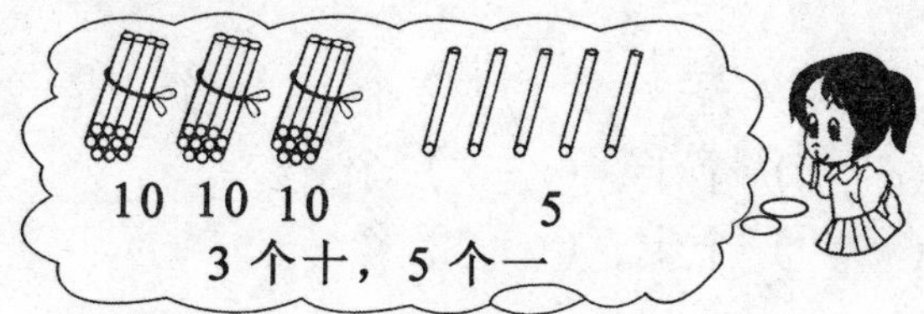

解：有（3）个十，（5）个一。

例 3 6 个一，5 个十是多少？

分析与解答

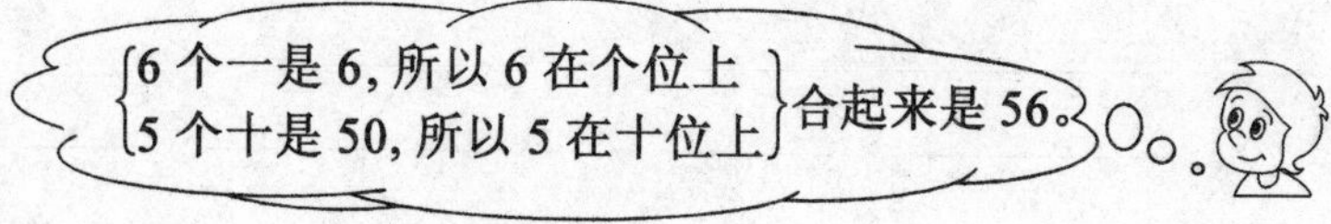

解：6 个一，5 个十是 56。

基础练习

1. 数一数，教室里一共有（　　）名同学，男生有（　　）名，女生有（　　）名。

2. 在下面各数后面连续数出10个数。

三十六　　　七十五　　　八十九

3. 五个五个地数，从20数到100；

两个两个地数，从46数到72。

思维拓展

4. 想一想，再填数。

46			49			52		54		

79		81			84				

5. 填一填。

(1) 8个十，5个一是（　　）。2个十，9个一是（　　）。

(2) 64是（　　）个十，（　　）个一。

(3) 45是（　　）个十，（　　）个一。

6. 接着写。

九十三、______、______、______、______、______、______、______、______

七十八、______、______、______、______、______、______、______、______

五十九、______、______、______、______、______、______、______、______

二十六、______、______、______、______、______、______、______、______

智慧列车

7. 填一填。

（1）八十九里有（　　）个十和（　　）个一。

（2）（　　）个十是100。

（3）七十三是由（　　）个十和（　　）个一组成的。

（4）（　　）个十和（　　）个一组成的数是九十一。

（5）42 前面第四个数是（　　）。

第二节　读数　写数

对一个数，从右边起，第一位是个位，第二位是十位，第三位是百位。读数要从高位读起，写数也是从高位写起。

例题精讲

例 1

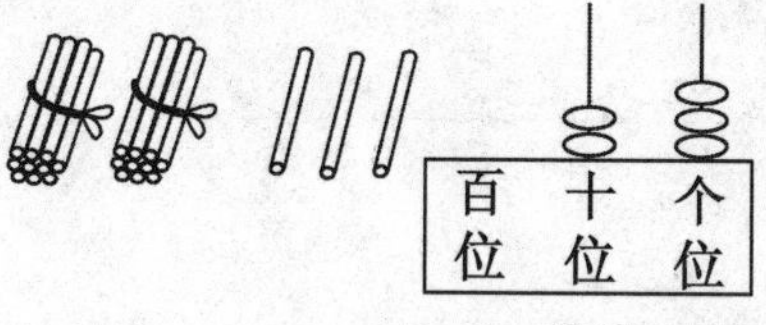

谁能写出并读出这个数？

分析与解答

我会，写数时，从高位写起：十位上有 2 颗，就在十位写 2；个位上有 3 颗就在个位写 3。合起来就是 23。读数时，也要从高位读起：十位上的 2 读作二十，与个位上的 3 合起来就读作二十三。

解：这个数是23，读作二十三。

例 2

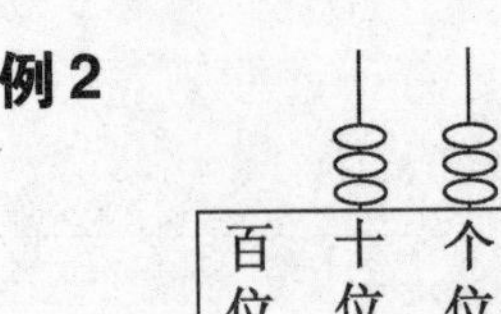

这里的两个 3 一样大吗？

解：

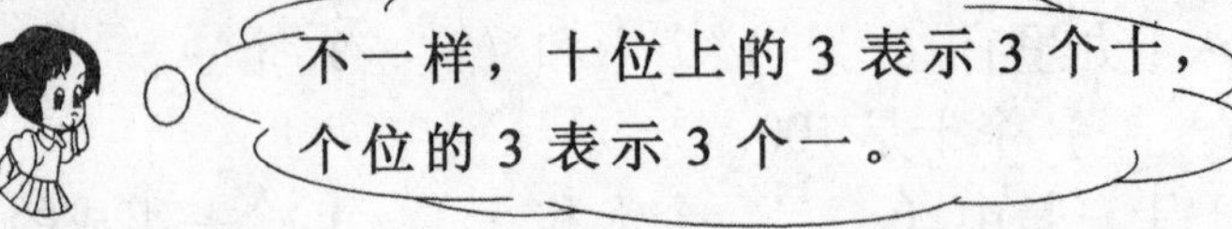

不一样，十位上的 3 表示 3 个十，个位的 3 表示 3 个一。

例 3

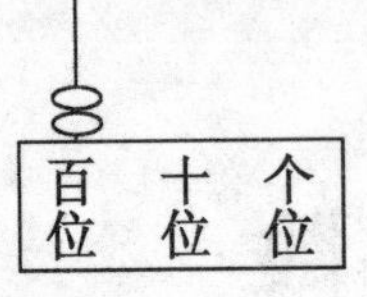

这个数你会写吗？

分析与解答

我会写，百位上是 2，就在百位上写 2，十位，个位一个珠子也没有，就用 0 来占位。

答：这个数是 200。

基础练习

1. 写一写，读一读。

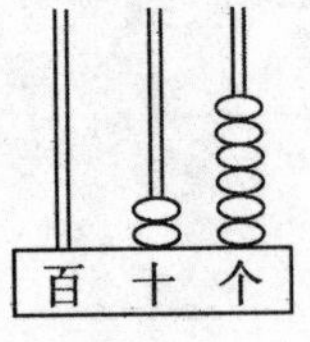

写作（　　）

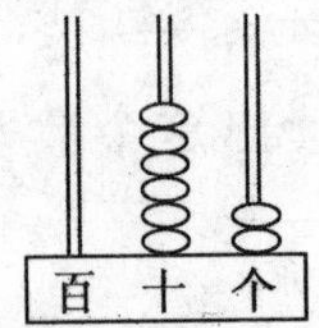

写作（　　）

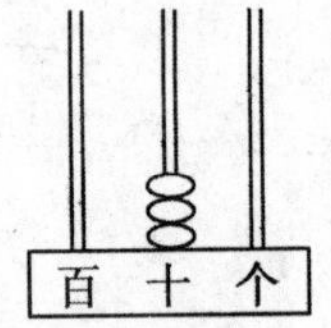

写作（　　）

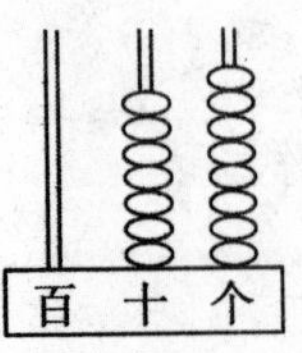

写作（　　）

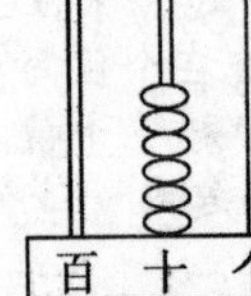

写作（　　）

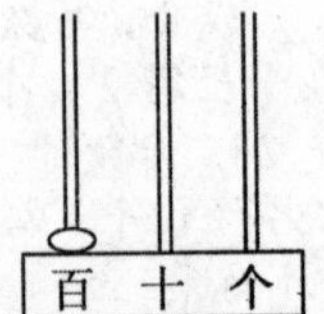

写作（　　）

2. 帮小动物回家。

3. 小敏写数。

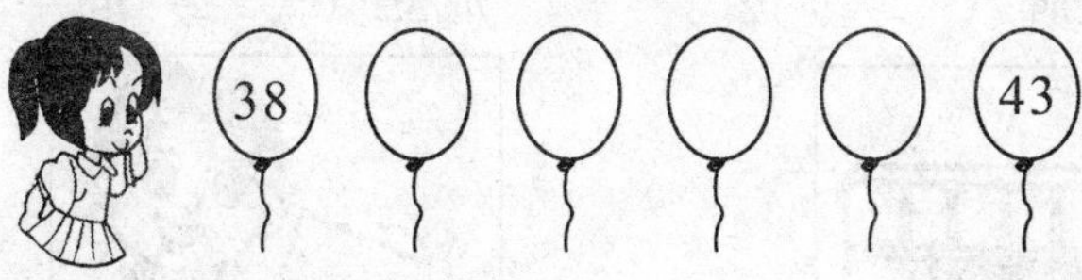

4. 遮住的数是几?

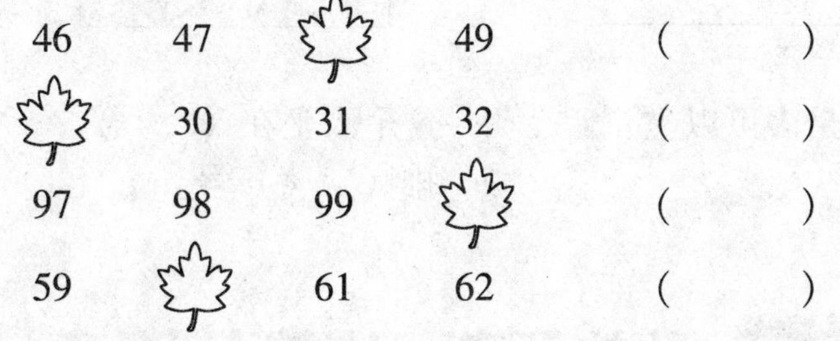

46　　47　　　　49　　(　　)

　　30　　31　　32　　(　　)

97　　98　　99　　　　(　　)

59　　　　61　　62　　(　　)

5. 填一填。

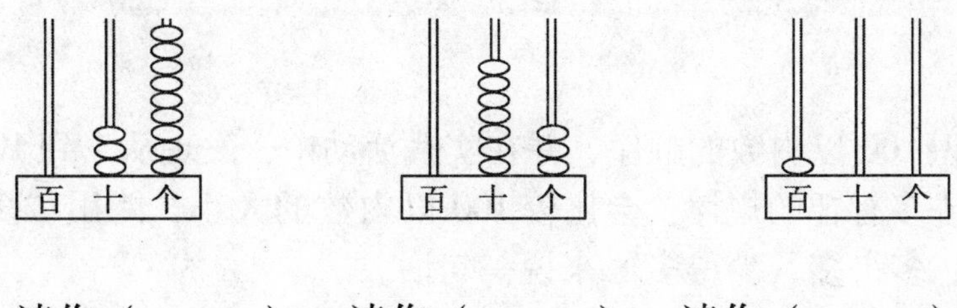

读作（　　　）　读作（　　　）　读作（　　　）

思维拓展

6. 生活中的数，请你读一读。

在 2008 年奥运会上，中国代表团获得金牌（　　）枚。

今年是中华人民共和国成立（　　）周年。

这辆车最多可以坐（　　）人。

这个人坐在（　　）排（　　）号。

第三节　数的顺序　比较大小

认识 100 以内数的顺序，并在实践活动中，发现从 1 到 100 的排列中有许多有趣的规律。会比较 100 以内数的大小，能用“多一些，少一些，多得多，少得多”来说一句话。

例题精讲

例 1

1									10
	12							19	
		23					28		
			34			37			
				45	46				
				55	56				
			64			67			
		73					78		
	82							89	
91									100

（1）按数的顺序，在空格里填数。

（2）涂一涂。

（3）观察上表你还发现了哪些有趣的规律。

解：

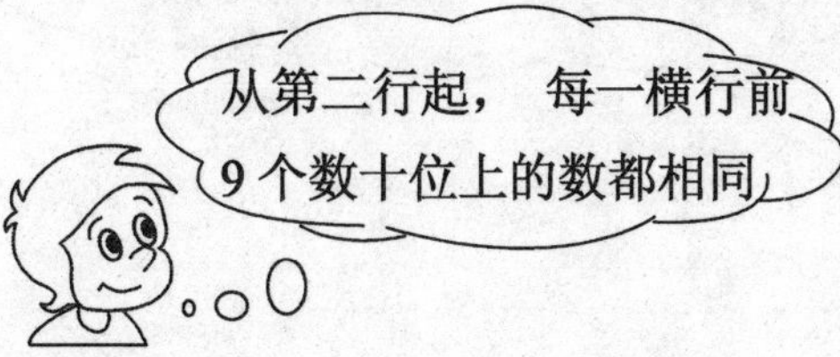

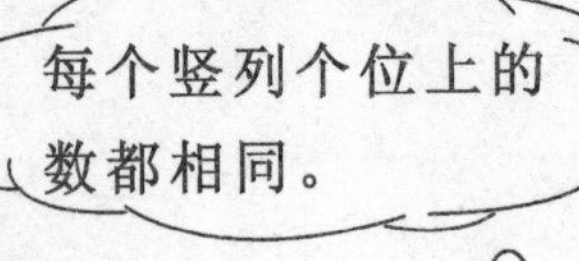

例 2 比大小。

51：快来评一评，我们两个到底谁大？

49：那还用比，看看我的 9，9 比 1 大多了！

51：我还有 5 呢！我比 4 大！

49：才大一点点，算不了什么！

51：不能这样比，这样比是错误的！

49：那应该怎样比呀？

两位数比大小，要先比十位上的数，十位上的数大这个数就大。

51：我想起来了

49：那我的 9 就没用了？

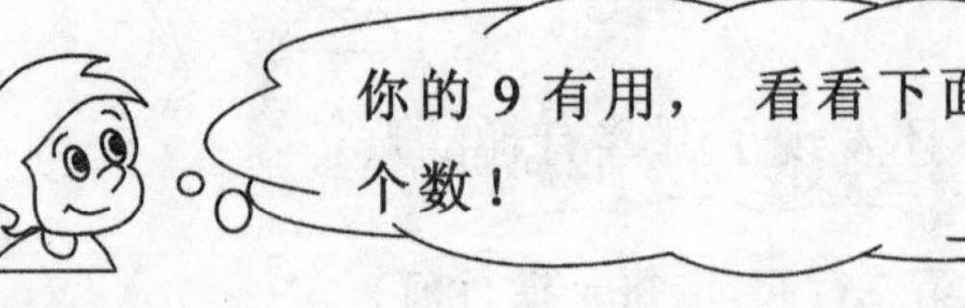

比一比这两个数，哪个大？

41 和 49

分析与解答

十位上的数相同，就看个位，个位上的数大这个数就大。

解：41 < 49。

例 3

甲花盆　　乙花盆

丙花盆　　丁花盆

我的花比甲盆少得多，比丙盆花多一些，我是哪盆花？

分析与解答

从“比甲盆少得多，比丙盆花多一些”，可以知道花的朵数小于72又大于34，应该是乙盆，36朵。

解：是乙盆。

基础练习

1．比一比。

34 ◯ 36

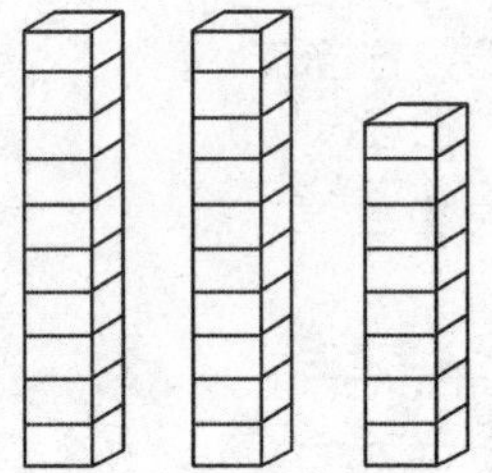

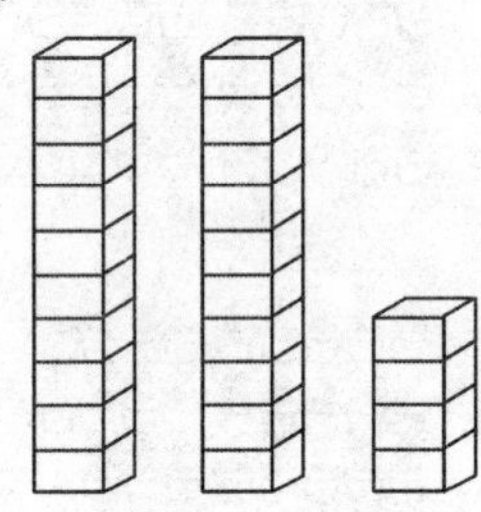

28 ◯ 24

2．比一比。

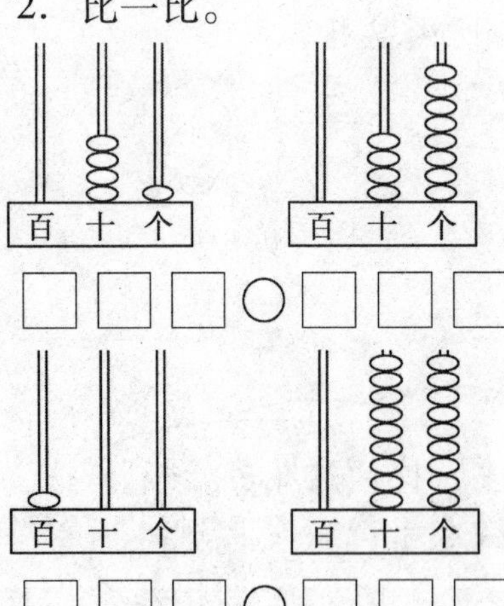

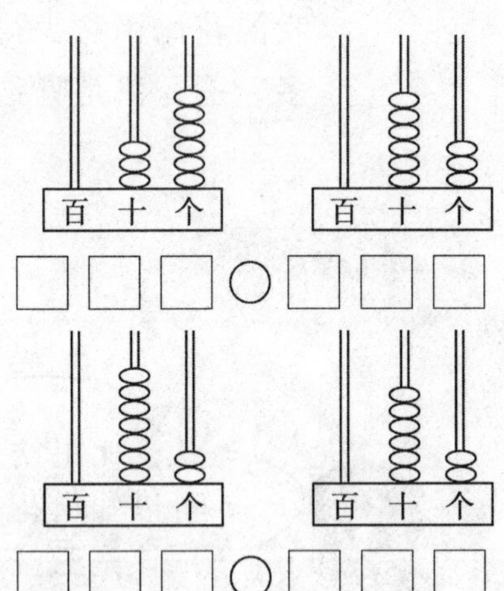

3. 

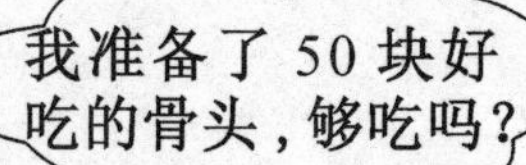

4. 比大小。

98 ◯ 89　　43 ◯ 34　　65 ◯ 69

100 ◯ 99　　25 ◯ 25　　74 ◯ 74

思维拓展

5. 连一连。

69　37　91　59　29　41　45

36　72　61　38　48　86　9　94

6. 猜一猜。

（1）一个班的人数，比 45 少，比 40 多。这个班可能有（　　）、（　　）、（　　）、（　　）名学生。

（2）一筐蘑菇的个数，比 66 多，比 70 少。这筐蘑菇可能有（　　）、（　　）或（　　）个。

7. 壮壮有 36 张邮票。

（1） 明明可能有多少张邮票？（在合适的答案后面画√）

55 张	80 张	37 张

（2） 兰兰可能有多少张邮票？（在合适的答案后面画○）

32 张	8 张	29 张

第四节 整十数加一位数和相应的减法

使学生掌握整十数加减一位数的计算方法，并能熟练地进行计算。

例题精讲

例 1

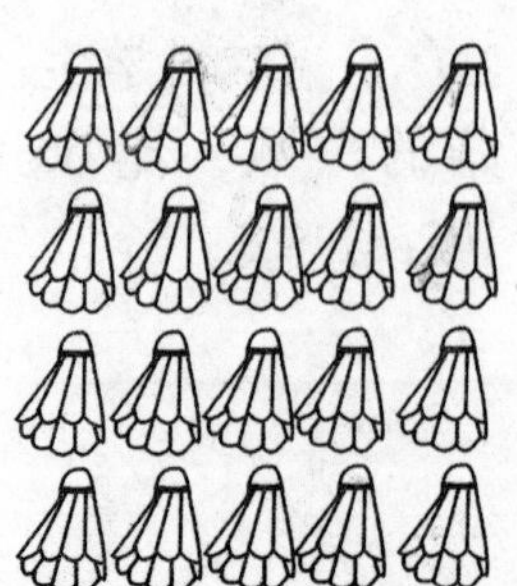

一共有多少个🏸？

·分析与解答·

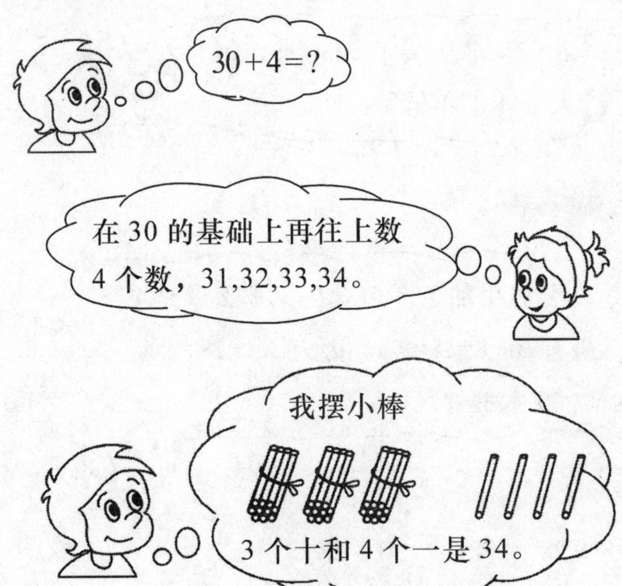

解：30+4=34（个）

答：一共有34个🏸。

例2

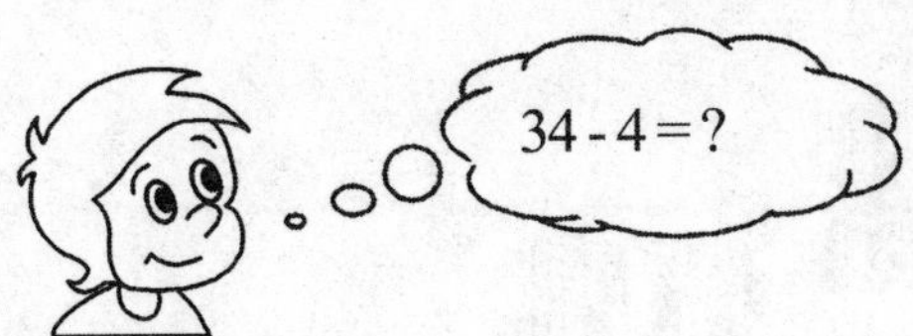

·分析与解答·

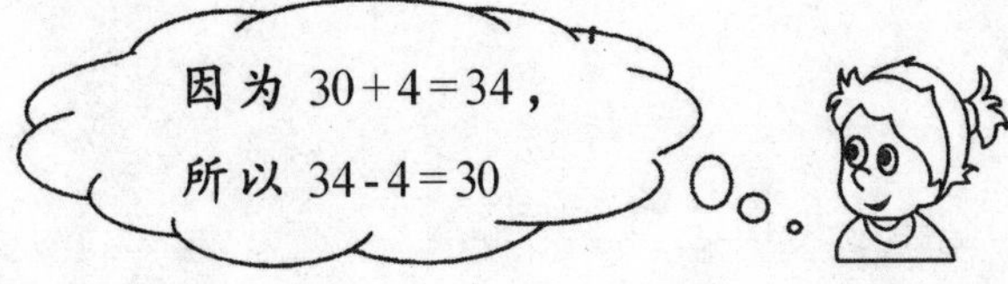

解：34－4=30

例 3

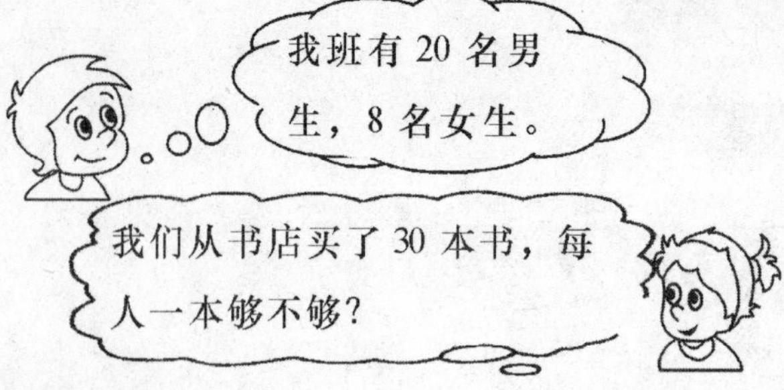

分析与解答

20 名男生加上 8 名女生，那么就是全班有 20+8=28(名)。因为 30＞28，所以 30 本书够。

解：20 + 8 = 28（名）　30 ＞ 28

答：每人一本够。

基础练习

1.

40 + 3 = □

□ − □ = □　　□ − □ = □

2.

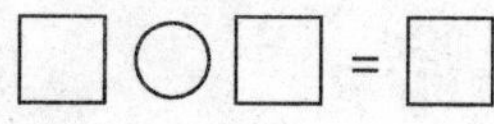

3.

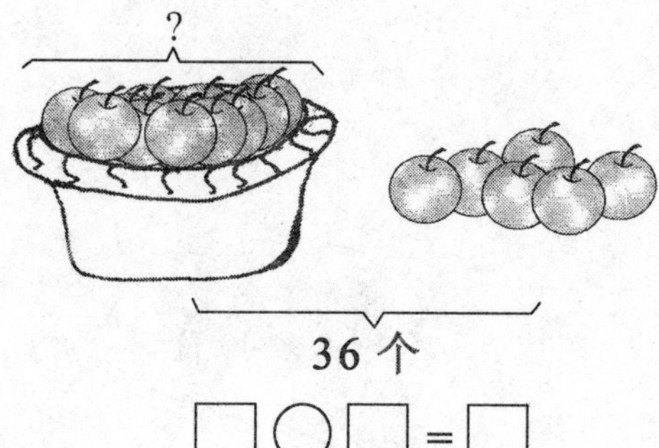

□○□=□

思维拓展

4.

它们一共吃了多少只害虫？

5.

你知道，我还剩下几支水彩笔吗？

6.

大巴车上有多少位乘客？

智慧列车

7.

送给小明 3 只，送给小红 10 只，还剩几只呢？

第十二章 认识人民币

DISHIERZHANG

在中国流通的货币叫人民币，人民币的单位有元、角、分。

人民币面值有以下种类：100 元、50 元、20 元、10 元、5 元、1 元、5 角、2 角、1 角、5 分、2 分、1 分。

元、角、分之间的进率：1 元 =10 角，1 角 =10 分。

人民币在我们的生活中有很重要的作用，我们要爱护它，养成勤俭节约的好习惯。

第一节 认识人民币

通过学习，能在日常生活中认识各种面值的人民币，知道人民币的单位有元、角、分，其中元的单位最大，分的单位最小，知道元、角、分之间的关系：1 元 =10 角，1 角 =10 分，会用不同的面值互换。

例题精讲

例 1 在购买物品时，使用较多的是以元为单位的各种面值的人民币。

1 元的人民币有两种：一种是纸币，一种是硬币。纸币一面印有国徽花纹和“壹圆”两个大字，另一面印花纹和“1”。硬币一面有“壹圆”两个大字，另一面是国徽和菊花图案。

角是比元小的单位，在购买物品时也经常使用到。

分是最小的人民币单位，现在很少使用到它。

例2　1元人民币要换成角可以怎么换？

分析与解答

1元=10角，只要换成的以“角”为单位的钱币合起来是10角都可以。

解：

换成2张5角，

换成5张2角，

1张5角和5张1角或1张5角、1张2角和3张1角。

例3　1元=（　　）角=（　　）分

分析与解答

1元=10张1角=100张1分

解： 1元=（10）角=（100）分

基础练习

1.（1）一张1元人民币=（　　）张1角人民币=（　　）张2角人民币=（　　）张5角人民币

（2）2张1元人民币+2张1角人民币=（　　）元

（　　）角

（3）1 张 5 角人民币 +2 张 2 角人民币 =（　　）角

2. 算一算。

2 元、5 角 →（　　）元（　　）角

5 元、2 角、1 角 →（　　）元（　　）角

3. 填空。

（1）（　　）张 1 元人民币可以换一张 10 元人民币

（2）1 元 =（　　）角 =（　　）分

（3）8 元 6 角 =（　　）角

（4）35 角 =（　　）元（　　）角

思维拓展

4. 换一换。

（1）换硬币。

①1 角：可以换（　　）个 1 分；可以换（　　）个 2 分；可以换（　　）个 5 分

②1 元：可以换（　　）个 5 角；可以换（　　）个 1 角

（2）① 10 元：可以换（　　）张 1 元；可以换（　　）张 2 元；可以换（　　）张 5 元

② 100元{可以换（ ）张10元
可以换（ ）张20元
可以换（ ）张50元}

③ 4张10元和1张20元共（ ）元。

④ 1张50元和2张20元共（ ）元。

5. 填一填。

(1) 1元6角 =（ ）角

(2) 27角 =（ ）元（ ）角

6. 填空。

3元 =（ ）角　　3元5角 =（ ）角

2元 =（ ）角　　5元3角 =（ ）角

60角 =（ ）元　　18角 =（ ）元（ ）角

40角 =（ ）元　　36角 =（ ）元（ ）角

7. 判断。

一个文具盒要5元7角，请你在简单的付钱方法后面打“√”。

(1) 5张1元，7张1角。（ ）

(2) 2张2元，1张1元，1张5角，2张1角。（ ）

(3) 1张5元，1张5角，1张2角。（ ）

8. 在◯里填上 >、<或 =。

1角◯8分　　9角◯5元　　1元◯1角　　10分◯1角

40分◯4角　　3元◯30分　　4角◯4分　　7元◯70分

6角◯6分

9. 计算。

5分 + 3分 =（ ）分　　7角 − 4角 =（ ）角

2角 + 5角 =（ ）角　　5分 + 5分 =（ ）角

4元 + 8元 =（ ）元　　1角 − 2分 =（ ）分

3角5分 + 4角 =（ ）角（ ）分

6角5分 − 5角 =（ ）角（ ）分

4元2角+7角=(　　)元(　　)角

8元3角-5元=(　　)元(　　)角

10. 报出每样商品的价钱。

16.00元　　2.50元　　1.80元

(　)元　(　)元(　)角　(　)元(　)角

7.50元　　21.50元

(　)元(　)角　(　)元(　)角

第二节　购物

通过学习，掌握把几元几角化成角，把几十几角转换成几元几角的基础方法。认识用小数表示物品价格，会在购买中解决一些简单的元、角的加减计算。

例题精讲

例1

分析与解答

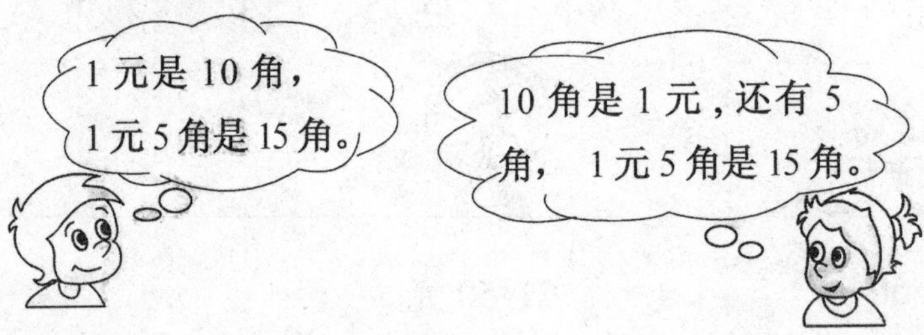

解：1元5角=15角

例2 乐乐给“手拉手”小朋友寄一封挂号信，需要贴1元的邮票。如果只有5角、2角和1角三种面值的邮票，一共有多少种贴法？

分析与解答

我们可以把邮票的所有贴法以表格形式列举出来：

5角（张）	2角（张）	1角（张）
2	0	0
1	2	1
1	1	3
1	0	5

0	5	0
0	4	2
0	3	4
0	2	6
0	1	8
0	0	10

答：一共有 10 种贴法。

例 3 小涛有 1 张 5 元，4 张 1 元，4 张 2 角的纸币和 8 枚 1 角的硬币，他要买一副乒乓球拍和一个乒乓球，他该怎样付钱？

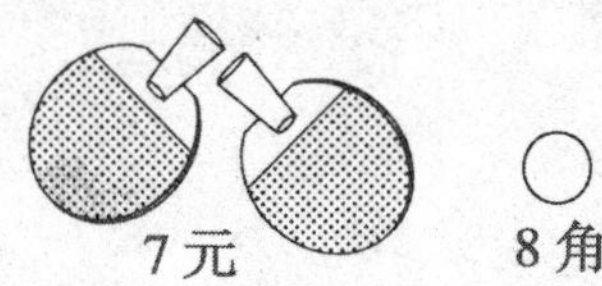

7 元 8 角

分析与解答

在购物时，应根据自己带的钱的多少与面值大小的实际情况去付钱。另外，付钱的方法很多，要选择最简便的方法付钱。对于这道题来讲，付钱时，硬币的个数越少越好。

答：应该这样付钱：1 张 5 元，2 张 1 元和 4 张 2 角。

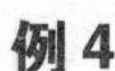

例 4

35 元

42 元

30 元

（1）买 1 件上衣和 1 条裙子，100 元够吗？

解：35 + 30 = 65（元） 65 元 < 100 元

答：买一件上衣和一条裙子 65 元，够了。

（2）买一条裤子还可以找回多少元？

解：100 − 42 = 58（元）

答：买一条裤子还可以找回 58 元。

基础练习

1\.

9.60 元

(　　)元(　　)角

0.60 元

(　　)角

10.80 元

(　　)元(　　)角

82.20 元

(　　)元(　　)角

2\. 连一连。

3.20 元　　　　23 元 6 角

1.50 元　　　　156 元

46.00 元　　　　3 元 2 角

23.60 元　　　　5 角

9.80 元　　　　46 元

156.0 元　　　　1 元 5 角

0.50 元　　　　9 元 8 角

3．看图计算。

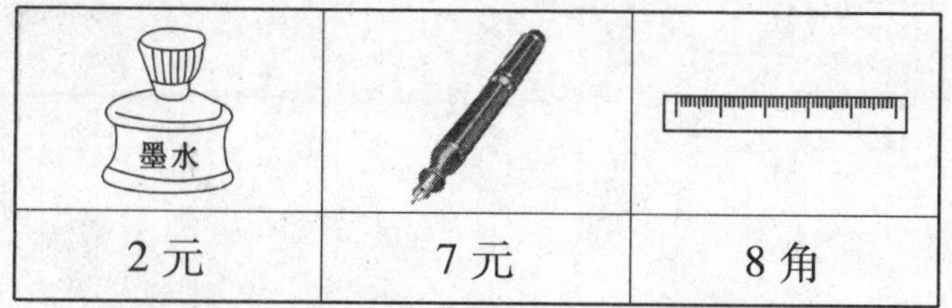

2元	7元	8角

（1）买一瓶墨水和一支钢笔共花（　　）元。

（2）买一支钢笔与一把格尺花（　　）元(　　)角。

（3）买三种商品一共要花（　　）元（　　）角，付给售货员10元钱，应找回（　　）钱。

（4）如果你只有8元钱，可以买哪两样学习用品？

思维拓展

4．在（　　）里填上“元”或“角”。

（1）一支铅笔5（　　），一个铅笔盒5（　　）。

（2）一支圆珠笔2（　　），一个书包20（　　）。

（3）一盒水彩笔23（　　）8（　　）。

（4）一辆玩具遥控汽车65（　　）9（　　）。

5．我帮妈妈买东西。

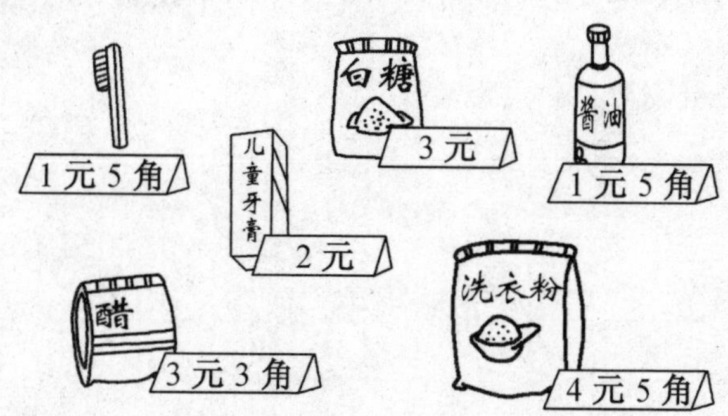

(1) 买一瓶和一袋，一共要用多少钱？

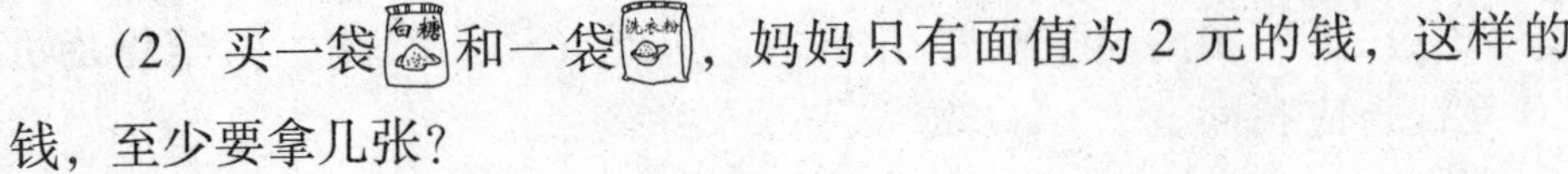

(2) 买一袋和一袋，妈妈只有面值为 2 元的钱，这样的钱，至少要拿几张？

(3) 买 1 把和一袋，付给售货员 7 元，应找回多少钱？

(4) 妈妈给我 8 元钱，能买哪些物品？

6. 看图列式计算。

①  ②  ③

60 元　　40 元　　38 元

（1）买①和②，花多少钱？

（2）买①和③，花多少钱？

（3）买②和③，花多少钱？

7. 阳阳有 2 枚 1 元，4 枚 5 角和 5 枚 1 角的硬币，他买 2 元 1 支的圆珠笔，小朋友，你能想出几种付钱的方法？

8. 小敏有一张5元、4张1元、4张2角的纸币和8枚1角的硬币，她要买一副8元的手套和一块6角的橡皮，一共有几种付钱的方法？

9. 亮亮要寄给朋友一张卡片，需要贴8角的邮票，如果只有2角和1角两种面值的邮票，一共有多少种方法？

10. 小哲给爷爷寄一封特快信，需贴1元6角的邮票，如果只有1元、5角、2角、1角面值的邮票，怎样贴最方便？

智慧列车

11. 小伟的妈妈用4元钱买一个西瓜，买1个西瓜的钱可以买2个菠萝，买1个菠萝的钱可以买4个苹果，每个苹果是多少钱？

第十三章 100以内的加法和减法

DISHISANZHANG

小朋友，你们已经学会了解答反映部分量与总量之间的相互关系的简单应用题，我们还要逐步学会将所学的数学知识应用于实际生活中，提高应用数学知识解决问题的能力。

此外，同学们要掌握100以内的加法和减法的计算方法，计算时要注意进位、退位。

第一节 整十数加、减整十数

掌握整十数加、减整十数的计算方法，并能解决一些实际问题。

例题精讲

例1

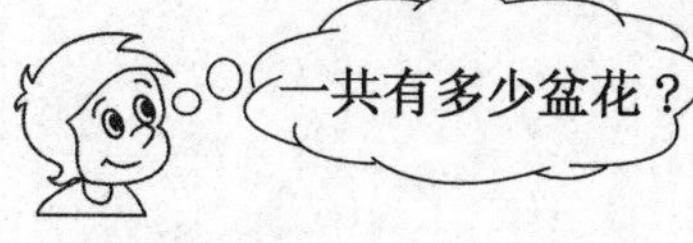

解：30＋10＝40（盆）　　40－10＝30（盆）

答：一共有40盆花，运走10盆后还剩30盆。

例2　亮亮买了一个足球，付给售货员50元，找回40元，这个

足球多少元?

分析与解答

50元钱是买足球用去的钱和找回的钱这两部分的总数，用50元减去找回的40元，剩下的就是买这个足球用去的钱数。

解：50 - 40 = 10（元）

答：这个足球10元。

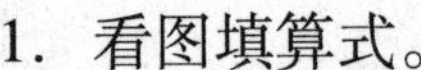

基础练习

1. 看图填算式。

(1)

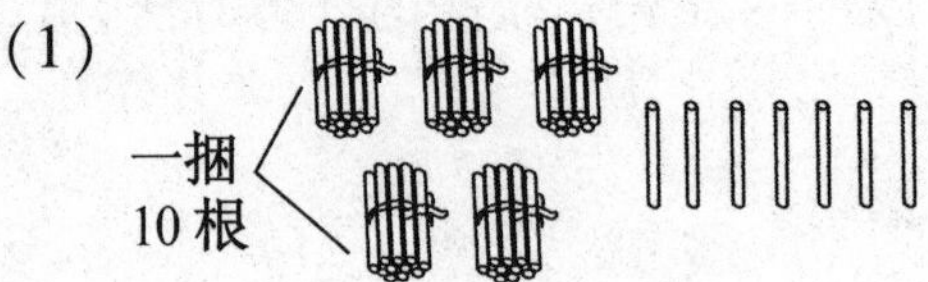

______ + ______ = ______（根）

(2)

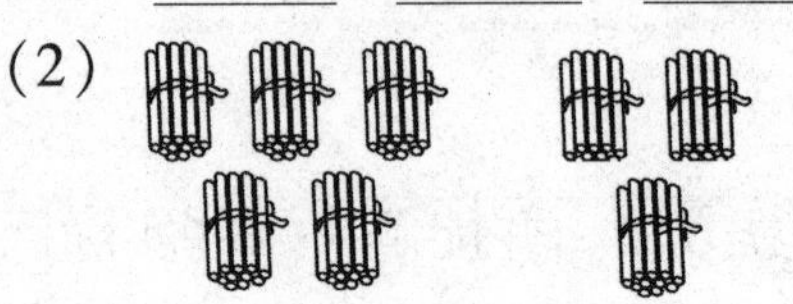

______ + ______ = ______（根）

(3)

还剩多少节电池?

______ - ______ = ______（节）

(4)

每篮10个

拎走2篮

还剩多少个苹果?

______ - ______ = ______（个）

2．为灾区学生捐书。

第一小队捐了40本书。

第二小队捐了50本书。

两个小队共捐书多少本？□○□=□（本）

3．

合唱队共有70人。

参加元旦演出需要20人。

合唱队剩下几人？□○□=□（人）

4．

还缺多少把椅子？□○□=□（把）

5．

我今天吃了30只害虫。

我也吃了30只害虫。

它们一共吃了多少只害虫？□○□=□（只）

思维拓展

6.

一共有多少只鸭子？

7.

我要20个。

这里有70个松果。

还剩多少个松果？

8. 鲜花店运进100朵，上午卖出30朵，还剩下多少

朵？

9. 鲜花店上午卖出30朵，下午又卖出40朵，这一天一共卖出多少朵？

10. 花丛中有30只，一会儿飞走10只，又飞来5只，现在花丛中有多少只？

11. 学样体育组有20个，30个，10个，体育组一共有多少个球？

12.

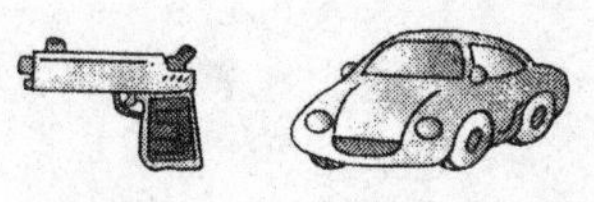

10元　30元　60元　20元

（1）买一把玩具手枪和一辆小汽车，一共花多少元？

(2) 买一个足球比买一个书包少付多少元?

(3) 用100元买一个书包，应找回多少元?

(4) 你还能提出什么问题?

13. 怎样能使两堆个数同样多?

第二节 两位数加一位数和整十数

学会两位数加一位数和整十数的计算方法，还能独立解答一些实际问题。

例题精讲

例 1

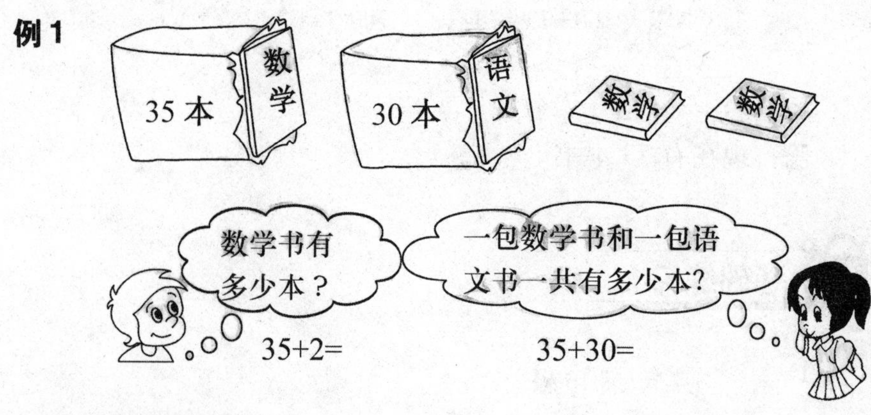

分析与解答

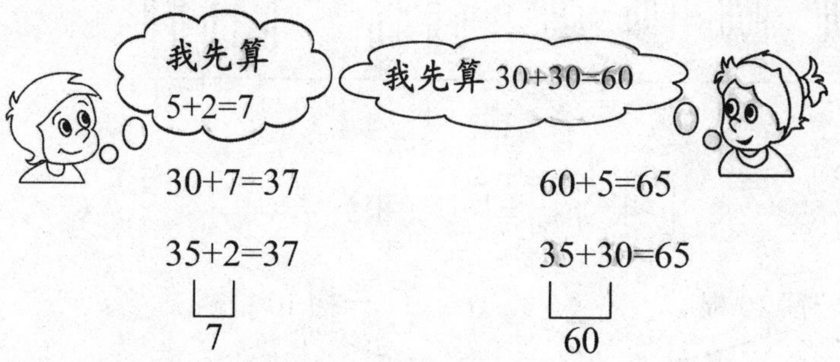

解：35 + 2 = 37（本）　　35 + 30 = 65（本）

答：数学书有 37 本，一包数学书和一包语文书一共有 65 本。

例 2

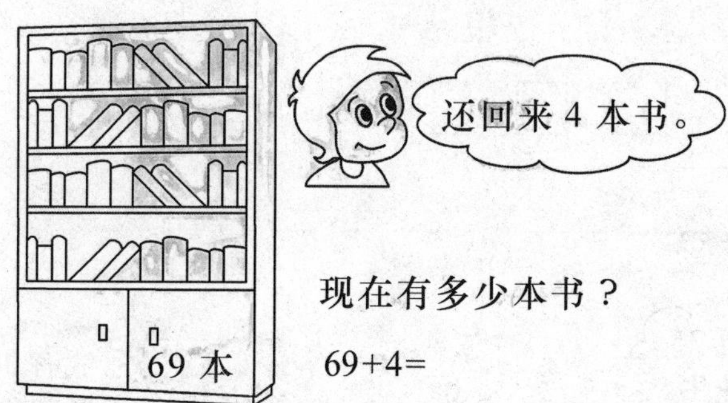

分析与解答

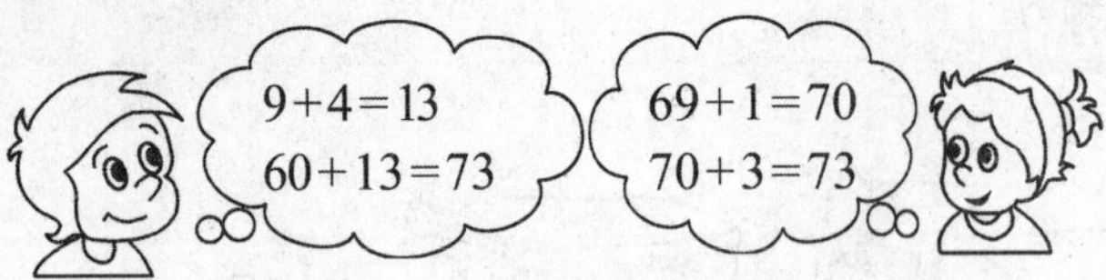

解：69 + 4 = 73（本）

答：现在有 73 本书。

基础练习

1.

一捆 10 根

?根

□○□ = □（根）

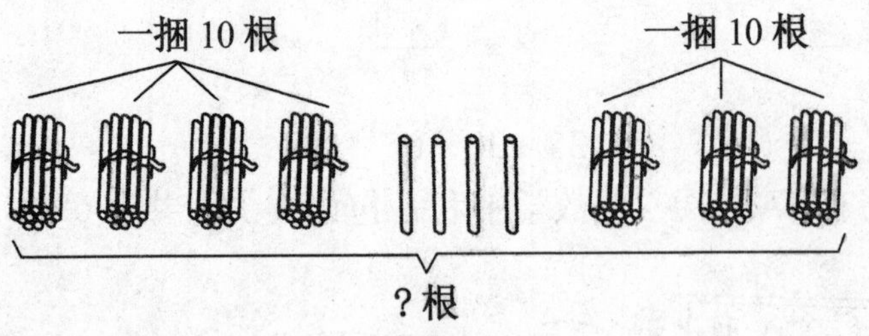

□○□ = □（根）

思维拓展

2.

我有 36 颗花生。

我有 30 颗花生。

它们一共有多少颗花生？

3.

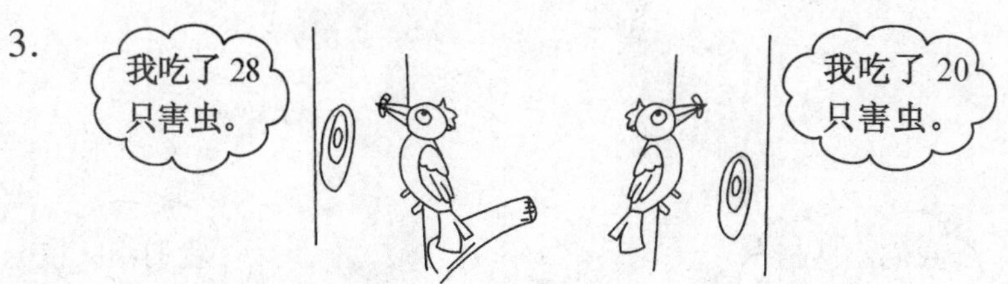

它们一共吃了多少只害虫？

4．为山区小朋友捐学习用品。

他们一共捐了多少本学习用品？

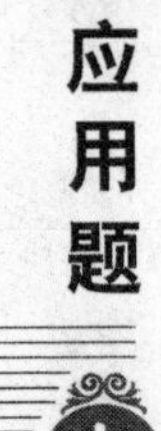

5.

他们一共跳了多少下？

6.

我们小队植树 43 棵。

我们小队植树 40 棵。

两个小队一共植树多少棵？

7.

我拔了 7 个萝卜。

它们一共拔了几个萝卜？

8. 幼儿园里有 24 种玩具，又买来 7 种，现在一共有多少种玩具？

9. 班车里有 36 名学生，到胜利公园站又上来 9 名学生，现在班车里有多少名学生？

10. 图书角里借出 36 本故事书，还剩下 20 本故事书，图书角原有故事书多少本？

11. 兰兰每天练写毛笔字，她今天已经写了 46 个字，还要写 5 个，兰兰每天写多少个毛笔字？

智慧列车

12. 姐姐有 12 元钱，弟弟有 8 元钱，姐姐给弟弟几元钱后，他们的钱数同样多？

第三节 两位数减一位数和整十数

掌握两位数减一位数和整十数的计算方法，并能解决实际问题。

例题精讲

例1 小兔拔了49个萝卜，运走了一车。

分析与解答

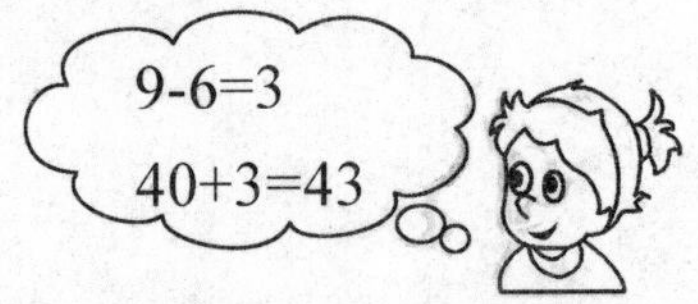

解：49－6＝43（个）

答：运走了43个萝卜。

例2

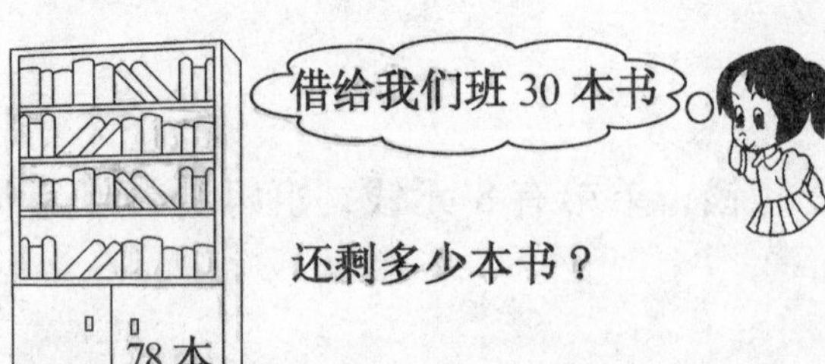

分析与解答

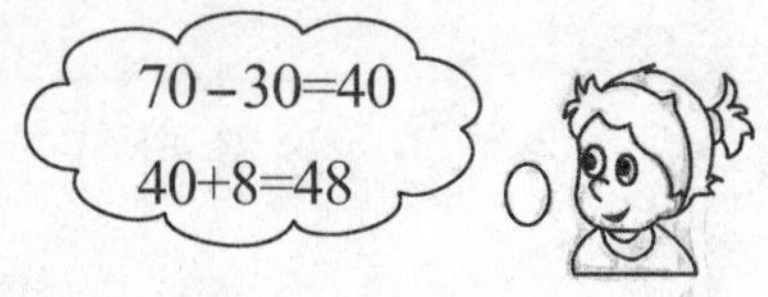

解：78 －30 =48（本）

答：还剩 48 本。

例 3

连环画有多少本？

57-9= □ （本）

分析与解答

7 减 9 不够减，打开一捆再减，

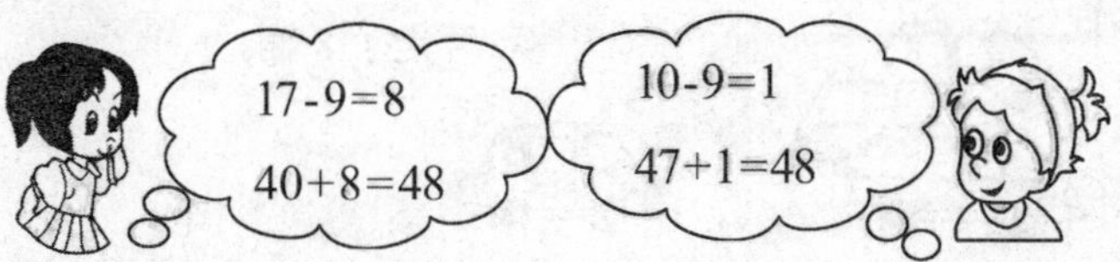

解：57 －9 =48（本）

答：连环画有 48 本。

例 4 比一比。

比 多几个？ 比 少几个？

分析与解答

有11个， 有8个，从11个 中去掉和 同样多的8个，就是多的几个。

有6个， 有11个，从11个 中去掉和 同样多的6个，就是 比 少的几个。

解：11－8＝3（个）　11－6＝5（个）

答： 比 多3个； 比 少5个。

基础练习

1.

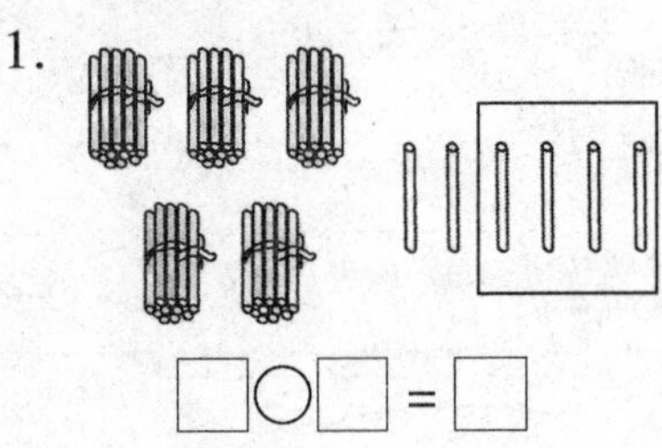

□○□＝□

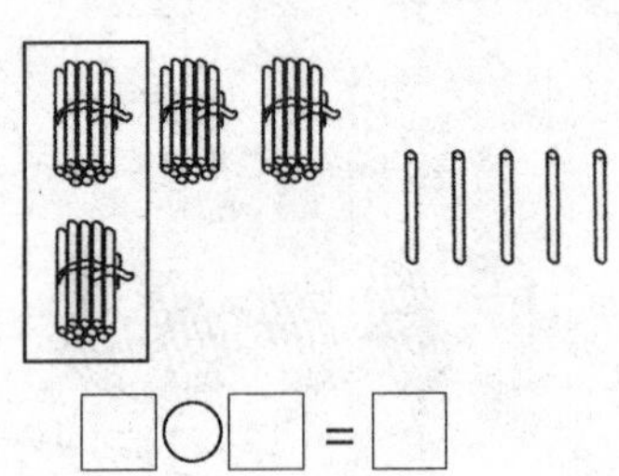

□○□＝□

2. 停车场有37辆车。

开走了8辆。

还剩多少辆车？

3.

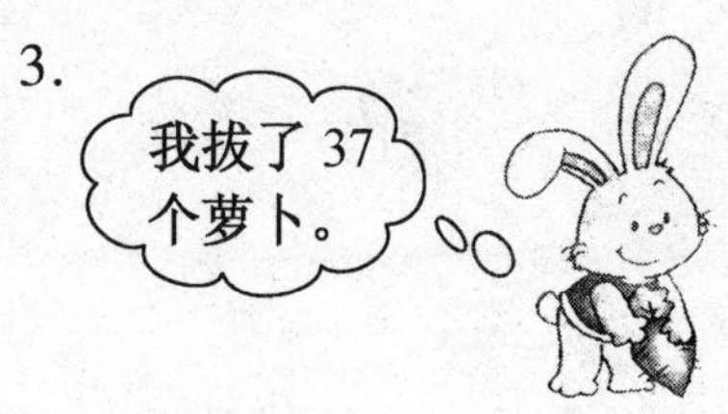

小白兔还剩多少个萝卜？

4.

淘气还差多少钱才能买一个足球？

5.

有多少棵树栽活了？

6.

还需要几个茶杯？

7.

猴哥哥还剩多少个桃？

思维拓展

8. （1）

谁采得多？多几个？

（2）

比一比，谁最大？谁最小？最小的比最大的小几岁？

9. 停车场原有 62 辆车，一会儿开走 6 辆，现在停车场有车多少辆？

10. 一本童话书 52 页，兰兰看了 9 页，还有多少页没看？

11.

淘气买一条金鱼后还剩多少钱？

12．小白兔采了42个 准备过冬，送给小灰兔20个，还剩多少个 ？

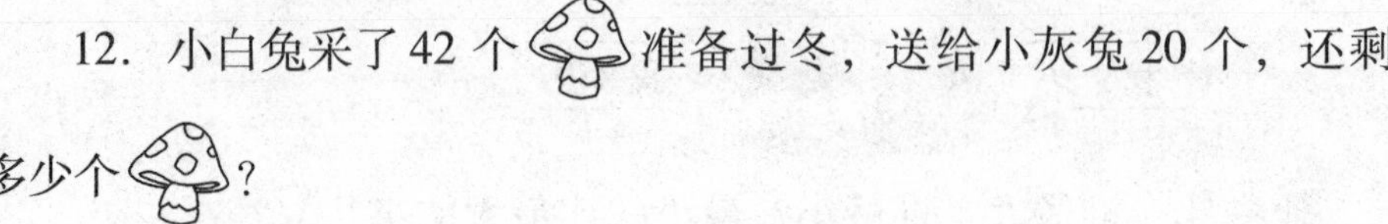

13．体育室里有30个足球，15个排球，借走6个足球后，还剩多少个足球？

14

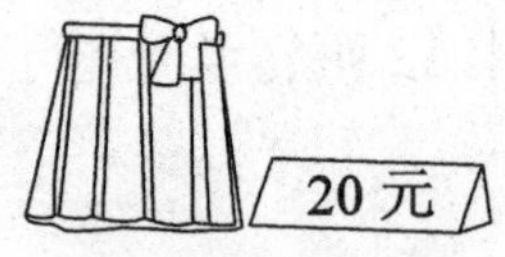

妈妈带50元钱，够买一件上衣和一条裙子吗？还差多少钱？

15．动物王国有 20 只小白兔，68 只小猴子，小猴子比小白兔多多少只？

16．一本《故事会》26 元钱，一本《少年儿童百科》48 元钱，一本《故事会》比一本《少年儿童百科》便宜多少元钱？

17．两排各有 8 朵花，从第一排拿出 2 朵放在第二排，第二排比第一排多多少朵？

第四节 求一个数比另一个数多（或少）几

应用题是小学数学内容的重要组成部分，学习解答应用题，能提高学生应用数学知识解决实际问题的能力。在练习时，要学会分析数量之间的关系，正确解答。

例题精讲

例1 动物王国的小兔重27千克，小松鼠重24千克，小兔比小松鼠重多少千克？

分析与解答

这道题是小兔和小松鼠的体重相比较，从小兔的体重27千克里去掉与小松鼠同样的24千克，剩下的就是小兔比小松鼠重的千克数，所以用减法计算。

解：27－24＝3（千克）

答：小兔比小松鼠重3千克。

例2 玲玲今天记了36个单词，乐乐记住了9个单词，乐乐比玲玲少记了多少个单词？

分析与解答

根据题中的条件可知，玲玲记的单词的个数比乐乐记的多，从玲玲记的36个单词中去掉乐乐记住了的9个单词，剩下的就是玲玲比乐乐多记的单词个数，也就是乐乐比玲玲少记的个数，用减法计算。

解：36－9＝27（个）

答：乐乐比玲玲少记了27个单词。

例3 小华买了一个玩具狗花了33元钱，买一个文具盒花了8元钱，买一个文具盒比买一个玩具狗便宜多少元钱？

分析与解答

这道题中，首先要明白“便宜”就是少的意思，求文具盒比一个玩具狗便宜多少钱，也就是看玩具狗比文具盒贵多少钱。从买一个玩具狗的33元中减去买一个文具盒的8元钱，剩下的钱就是一个玩具狗比一个文具盒多用的钱，也就是一个文具盒比一个玩具狗便宜的钱。用减法计算。

解：33－8＝25（元）

答：买一个文具盒比买一个玩具狗便宜25元钱。

例 4 再买几个桃子就使桃子和苹果同样多？

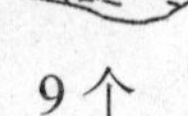

9 个　　　　　34 个

·分析与解答·

现在知道已经有 9 个桃子，34 个苹果，要求再买几个桃子就使桃子和苹果同样多，也就是看桃子的个数与苹果的个数相差多少，用减法计算。

解：34 − 9 = 25（个）

答：再买 25 个桃子就使桃子和苹果同样多。

例 5 东东和阳阳都喜欢集邮，东东给了阳阳 5 枚邮票后，两人的邮票同样多，原来东东的邮票比阳阳的多几枚？

·分析与解答·

根据题中的已知条件，东东给了阳阳 5 枚后，两人的邮票同样多，说明东东送给阳阳 5 枚，自己还留着 5 枚，至少要有 2 个 5 枚。用东东自己留下的 5 枚加上东东送给阳阳的 5 枚，求出来就是原来东东比阳阳多几枚。用加法计算。

解：5 + 5 = 10（枚）

答：原来东东的邮票比阳阳的多 10 枚。

例 6 兔妈妈和兔哥哥每人都拔了 24 个萝卜，兔妈妈送给兔哥哥 8 个萝卜后，兔妈妈比兔哥哥少多少个？

·分析与解答·

原来兔妈妈和兔哥哥每人都拔了 24 个萝卜，兔妈妈给兔哥哥 8 个萝卜后，自己还有 24 − 8 = 16（个）；兔哥哥原来有 24 个，又得到 8 个，一共是 24 + 8 = 32（个）；用减法就可以求出这时兔妈妈比兔哥哥少的个数。

解：24 − 8 = 16（个）

24 + 8 = 32（个）

32 − 16 = 16（个）

答：兔妈妈比兔哥哥少 16 个。

基础练习

1.

(1) 小狗比小白兔高多少厘米？

□○□ = □（厘米）

(2) 小白兔比小狗矮多少厘米？

□○□ = □（厘米）

2.

我采了 44 个蘑菇。

我只采到 8 个蘑菇。

(1) 小兔比妈妈少采到多少个蘑菇？

□○□ = □（个）

(2) 妈妈比小兔多采到多少个蘑菇？

□○□ = □（个）

3.

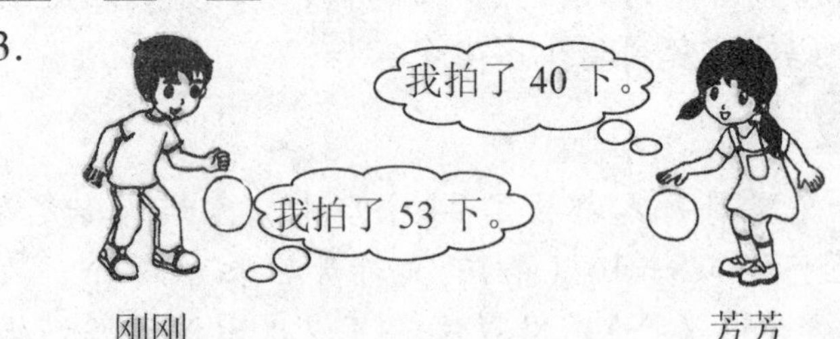

(1) 刚刚和芳芳一共拍了多少下？

□○□ = □（下）

(2) 刚刚比芳芳多拍了多少下？

□○□ = □（下）

4.

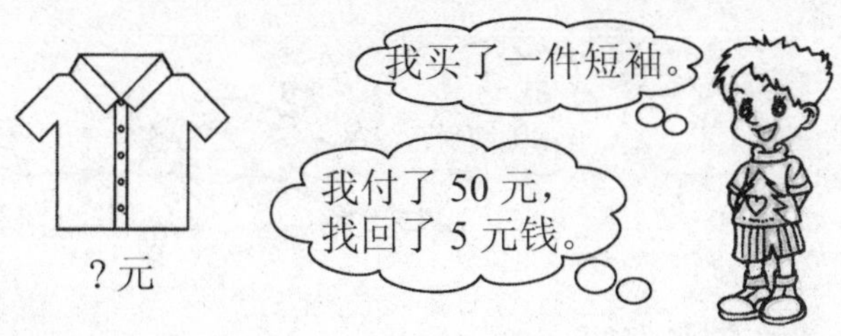

一件短袖多少元钱？ □○□＝□（元）

5.

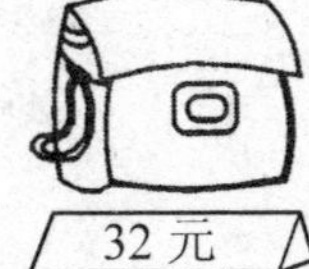

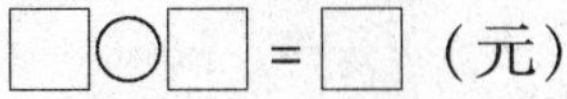

（1）买1本字典和1个书包共多少钱？

□○□＝□（元）

（2）买一个文具盒比买一个书包少花多少钱？

□○□＝□（元）

思维拓展

6.

（1）啄木鸟比燕子少捉几条虫？

（2）燕子比啄木鸟多捉几条虫？

7.

（1）小鹿比小羊高多少厘米？

（2）小羊比小鹿矮多少厘米？

8.

9.

故事书	54 本
连环画	30 本
百科全书	8 本

（1）故事书比百科全书多多少本？

（2）百科全书比连环画少多少本？

（3）三种书一共有多少本？

10.

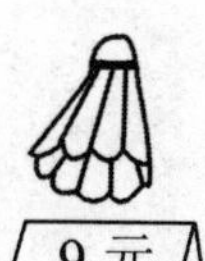

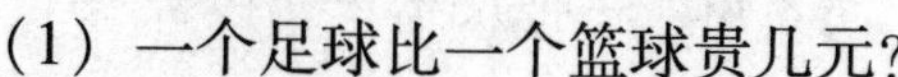

9 元

（1）一个足球比一个篮球贵几元？

（2）一个羽毛球比一个足球便宜多少钱？

（3）一个篮球比一个羽毛球贵多少钱？

（4）淘气有 100 元钱，够买这三种球吗？

11．小奇有 34 本连环画，小星有 30 本连环画，小星比小奇少多少本？

12．小宇买了一个文具盒 8 元 8 角，一把尺子 2 元钱，一个文具盒比一把尺子贵多少元钱？

13．秋天到了，同学们到果园里摘苹果 78 筐，摘桃子 70 筐，摘的桃子比苹果少多少筐？

14. 学校买来一些粉笔，用去 8 盒，还剩 36 盒，学校买了多少盒粉笔?

15. 淘气读一本童话书，已经读了 30 页，还有 46 页没读，这本童话书有多少页?

16. 一本《故事会》5 元钱，一本《童话集》18 元钱，一本《故事会》比一本《童话集》便宜多少元钱?

17. 小芳比小丽多 4 颗糖，不改变两人糖果的总颗数，怎样让她俩的糖一样多?

18.

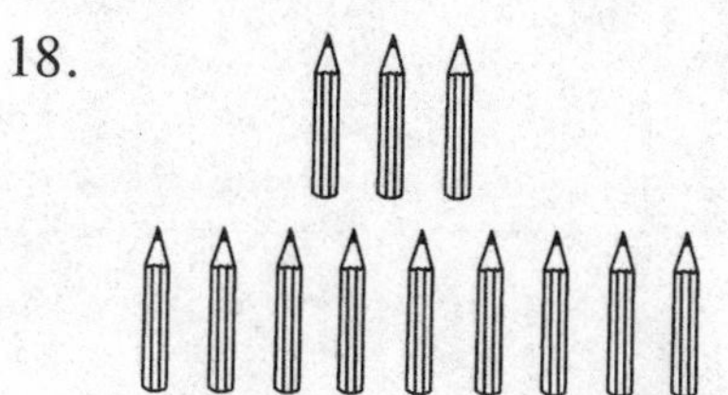

从第二行拿几支笔到第一行，两行笔的支数就相等了？

19．哥哥和弟弟各有一些糖，哥哥给了弟弟 3 颗糖后，兄弟两人的糖果同样多。你知道哥哥原来比弟弟多几颗糖吗？

20．红星小学一年级同学参加了各种兴趣活动小组。

舞蹈组	美术组	手工组	合唱组
18 人	30 人	9 人	50 人

请你提出数学问题并解答。

（1）____________________________？

（2）____________________________？

（3）____________________________？

智慧列车

21．两根同样长的绳子，用去一些后，第一根绳子还剩 4 米，第二根绳子还剩 6 米，哪根绳子用去的多？多用几米？

第十四章 混合计算应用题

DISHISIZHANG

我们在前几章里分别学了100以内比较简单的加、减法应用题。这一章我们将学习100以内连加、连减、加减混合计算的应用题。在解答这类应用题时，小朋友们要认真审题，学会分析题中的数量关系，确定正确的解题方法，体会数学与日常生活的密切联系，提高解题的综合能力。

例题精讲

例1 国庆期间，学校买来菊花20盆，兰花30盆，月季花40盆，问：学校一共买了多少盆花？

分析与解答

通过以上条件可知，学校买来菊花20盆，兰花30盆，月季花40盆，求一共买了多少盆花，也就是求菊花、兰花、月季花三种花数量的总和是多少，可以分为两步来计算。

第一步：菊花和兰花　　20 + 30 = 50（盆）

第二步：菊花，兰花和月季花　50 + 40 = 90（盆）

解：20 + 30 + 40 = 90（盆）

答：学校一共买了90盆花。

例2 一本漫画书70页，晨晨上午看了25页，下午看了30页，还有多少页未看？

分析与解答

根据已知条件可知，漫画书有70页，晨晨上午看了25页，下午看了30页，求还有几页没看。可以分两种方法来解决：第一种方法，用总页数70页减去上午看的25页，再减去下午看的30页，得到的就是剩下未看的页数。第二种方法，把晨晨上午看的25页和下午看的30页合在一起，然后用总页数70页减去上午和下午看的55页，就得出还剩下几页没看。

解：方法一：70 - 25 = 45（页）

45 - 30 = 15（页）

方法二：25 + 30 = 55（页）

70 - 55 = 15（页）

答：还有15页未看。

例3 食堂的面粉，周一吃了8袋，周二吃了6袋，还剩下4袋。食堂原来有多少袋面粉？

分析与解答

根据已知条件可知，周一吃的8袋和周二吃的6袋还有剩下的4袋都是食堂原来有的。要求食堂原有多少袋面粉，可以先把周一和周二吃的数量加起来，是8 + 6 = 14（袋），再加上剩下的面粉，这样就可以求出食堂原有面粉的袋数。

解：8 + 6 = 14（袋） 14 + 4 = 18（袋）

答：食堂原来有18袋面粉。

例4 星期天，妈妈从时代超市买来23个苹果，小刚吃了12个后，妈妈又买来了9个苹果。现在小刚家有多少个苹果？

分析与解答

可以这样想：妈妈一共买来多少个苹果，即23 + 9 = 32（个）。小刚吃了12个后，还剩下多少个，即32 - 12 = 20（个）。也就是现在小刚家有20个苹果。

也可以这样想：妈妈从时代超市买来23个苹果，小刚吃了12个后，这时小刚家有23 - 12 = 11（个）苹果，妈妈又买来9个苹果，这时小刚家有11 + 9 = 20（个）苹果。

解：23 + 9 - 12 = 20（个）或23 - 12 + 9 = 20（个）

答：现在小刚家有20个苹果。

例5 小明有45支铅笔，用了23支后，妈妈又给他买来14支。现在小明有多少支铅笔？

分析与解答

要求小明现在有多少支铅笔，必须弄清楚小明一共有多少支铅笔，以及他用了多少支铅笔。即小明有 45 + 14 = 59（支），用了 23 支，小明现在有 59 − 23 = 36（支）铅笔。

也可以先求出小明用了 23 支铅笔后，他还有多少支铅笔，即 45 − 23 = 22（支），妈妈又给他买了 14 支铅笔后，小明现在有 22 + 14 = 36（支）铅笔。

解：45 + 14 − 23 = 36（支）或 45 − 23 + 14 = 36（支）

答：现在小明有 36 支铅笔。

例 6　小小和东东每人都有 15 本画册，小小给东东 4 本后，小小比东东少多少本画册？

分析与解答

根据已知条件，小小和东东都有 15 本画册，小小给东东 4 本后，小小的画册就有 15 − 4 = 11（本），东东的画册就有 15 + 4 = 19（本），所以小小比东东少 19 − 11 = 8（本）。

解：（1）小小的本数：15 − 4 = 11（本）

（2）东东的本数：15 + 4 = 19（本）

（3）小小比东东少的本数：19 − 11 = 8（本）

答：小小比东东少 8 本画册。

例 7　育才小学一（1）班有 30 人，一（2）班比一（1）班多 2 人。问：一（2）班有多少人？两个班共有多少人？

分析与解答

本题有两个问题，要求出两个班共有多少人，就需要知道两个班分别有多少人，根据题意已知一（1）班 30 人，一（2）班比一（1）多 2 人，就可以得出一（2）班有 30 + 2 = 32（人），再求出第二个问题。

解：（1）一（2）班人数：30 + 2 = 32（人）

（2）两个班一共有人数：30 + 32 = 62（人）

答：一（2）班人数有 32 人，两个班共有 62 人。

基础练习

1. 拍球比赛。

	第一次	第二次	第三次
小红	25	37	29
小兰	34	29	32
小明	23	36	37

(1) 小红 3 次共拍了多少下？□○□○□＝□（下）

(2) 小兰 3 次共拍了多少下？□○□○□＝□（下）

(3) 小明 3 次共拍了多少下？□○□○□＝□（下）

2. 摘果子。

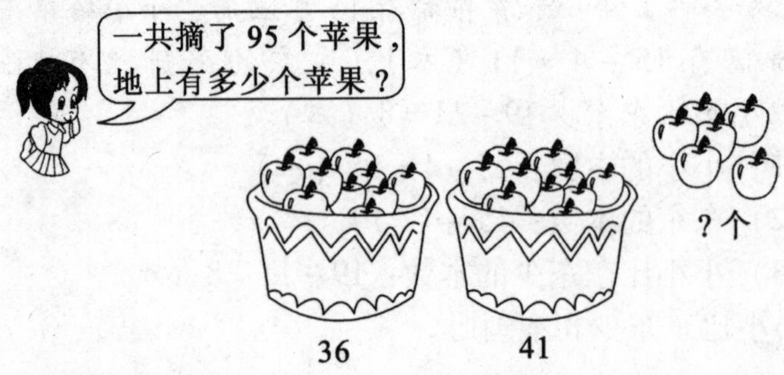

3. 筐里原有苹果 85 个。

现在有多少个苹果？

4. 商店里一共有多少台家用电器？

电冰箱	洗衣机	电视机
36 台	38 台	23 台

5. 一共吃了多少条虫子？

思维拓展

6. 一（1）班的同学参加合唱队的有 23 人，参加舞蹈队的有 18 人，参加器乐队的有 9 人。一（1）班共有多少人参加这三个队？

7. 小红看一本故事书。

一共	第一天看了	第二天看了	还剩
40 页	20 页	18 页	

8．食堂有 92 千克大米，上半月吃了 34 千克，下半月吃了 49 千克。食堂还剩多少千克大米？（用两种方法解答。）

9．兰兰家有一篮鸡蛋，共 41 个。吃了 25 个后，又买来 38 个。现在兰兰家有多少个鸡蛋？

10．为庆祝六·一儿童节，一（1）班吹了 36 个气球，一（2）班吹的气球数比一（1）班少 6 个，两个班共吹了多少个气球？

11．妈妈有 69 元钱，买上衣用去 40 元，买丝巾用去 22 元，还剩多少钱？

12．小云、小萌、园园三人进行跳绳比赛，小云跳了 35 下，小萌和园园都跳 30 下，她们三人一共跳了多少下？

13．两个班原来都有 40 人，后来一班转走 2 人，二班转来 1 人，哪个班的人数多？多多少人？

14．小瑶、小洁二人进行 10 分钟口算比赛，小瑶做了 46 道口算题，小洁比小瑶少做了 5 道题，两人一共做了多少道题？

15．果园里有荔枝树 45 棵，龙眼树 36 棵。

（1）龙眼树比荔枝树少多少棵？

（2）两种树一共有多少棵？

16．园园做红花 22 朵，做彩花 15 朵，做黄花 36 朵。

（1）黄花比红花多多少朵？

（2）彩花比黄花少多少朵？

（3）红花比彩花多多少朵？

（4）一共做了多少朵？

智慧列车

17．动物王国有一只非常聪明的小猴子，它能用剪刀只剪一刀就将绳子剪成4段，它是怎样剪的呢？

第十五章 认识时间

DISHIWUZHANG

小朋友，你每天几点起床，几点上学，几点放学，几点睡觉，这些都是时间问题。在这一章里，我们将初步认识钟面上的长针、短针。同时教同学们看整时以及整时以外的时间的方法，使同学们知道1时=60分，并学会5分5分地数或1分1分地数，会计算简单的时间。

通过学习，同学们要知道时间的重要性，养成珍惜时间的良好习惯。

例题精讲

例1 

现在是11时几分？

分析与解答

方法一：

一大格是5分钟，5分5分数到4就是20分。所以现在的时间是11∶20。

方法二：我是一小格一小格数的，一共有 20 个小格就是 20 分。所以，现在的时间是 11：20。

方法三：我还有一种更简便的方法：分针如果走到 6 是 11:30，现在离 11：30 还差 10 分钟，所以现在时间是 11：20。

答：现在是 11 时 20 分。

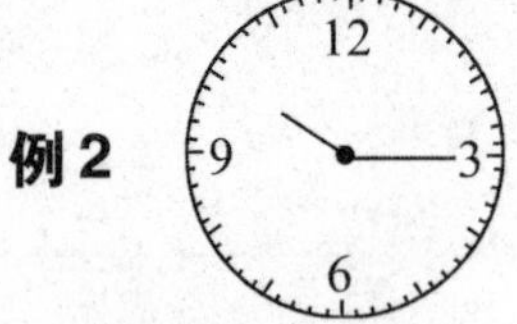

例 2 你知道现在是几时几分吗？

分析与解答

我先看短针，短针刚刚走过 10 就是 10 时多，多多少呢？就要看分针了，分针指着 3，3 个 5 就是 15，这样我就知道现在是 10:15。

答：现在是 10 时 15 分。

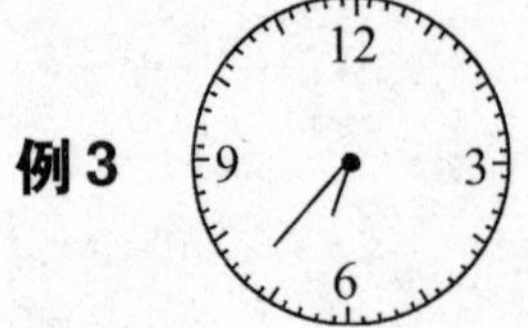

例 3 你知道我今天几点起床吗？

分析与解答

方法一：

分针走一大格是 5 分钟，现在分针走了 7 个大格还多 2 个小格，因为 35+2=37（分），所以起床时间是 6：37。

方法二：

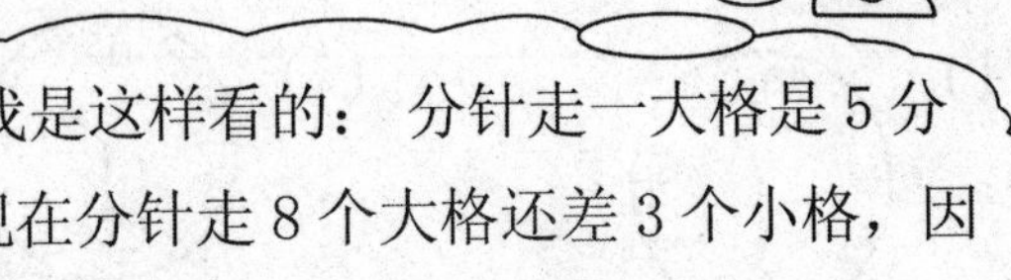

我是这样看的：分针走一大格是 5 分钟，现在分针走 8 个大格还差 3 个小格，因为 40-3=37（分），所以起床时间是 6：37。

答：我今天起床的时间是 6：37。

基础练习

1. 连一连。

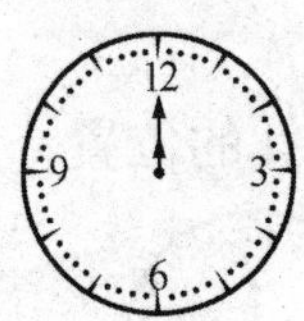
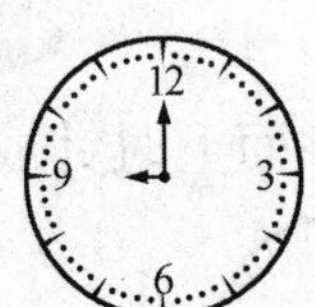

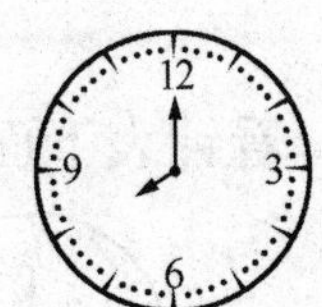

4：00	8：00	12：00	9：00

2. 看钟面写时间。

________ ________ ________

________ ________

3. 小动物读得对吗？读错的请你改过来。

(1)

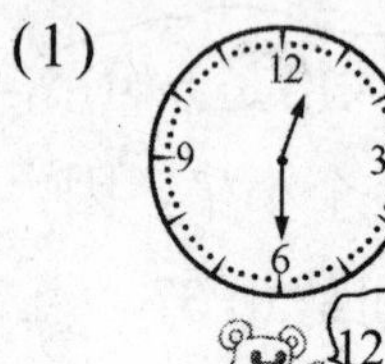

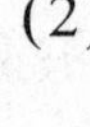

12 时半

(2)

1 时半

(3)

7 时半

(4)

9 时半

4. 看钟表下面的时间，画出钟面上时针或分针的位置。

2 时

11 时

7 时

10 时

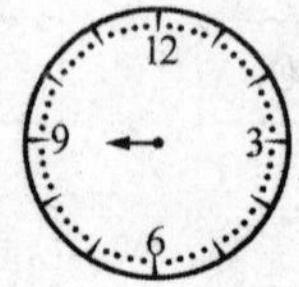

9 时

思维拓展

5. 填一填。

___时半　　快___时了　　___时整

___时刚过　　___时半

6. 选一选。(在正确答案下的括号里画出"√")

(1) 9 时过 1 小时是(　　)。

①　②　③

(　　)　(　　)　(　　)

(2)(　　)差 1 小时就到中午 12 时。

 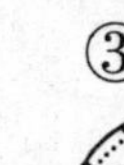

①　②　③

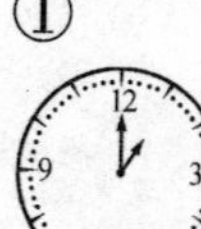  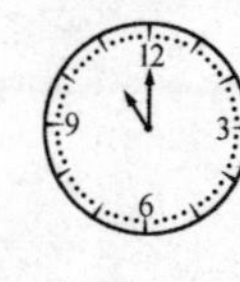 

(　　)　(　　)　(　　)

(3) 8 时半再过半小时就是(　　)时。

①　②　③

 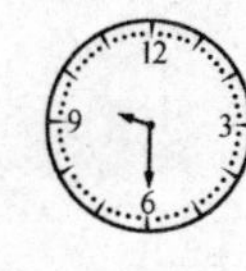 

(　　)　(　　)　(　　)

7. 填空。

(1) 小红和妈妈一起坐车去外婆家。8 时从家出发,经过 1 小时

到达，小红（　　）时到外婆家。（画上时针、分针）

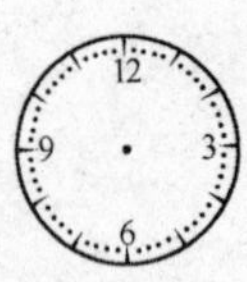

1 小时后

出发时间　　　　到达时间

（2）兰兰 1 时从家出发，步行去游乐场，经过半小时才走到，兰兰（　　）到了游乐场。（画上时针、分针）

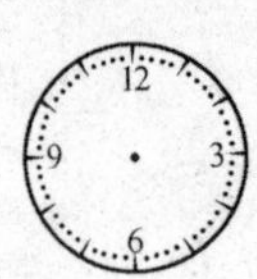

半小时后

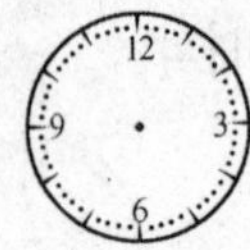

出发时间　　　　到达时间

智慧列车

8．一根木头锯成 2 段要 1 分钟，锯成 5 段要几分钟？

第十六章 统计

DISHILIUZHANG

通过日常生活中的例子，学会用涂色、写“正”字、画“○”、画“|”、编数等方法整理和统计数据，以及制作简单条形统计图，并从统计图中获得一些信息。

例题精讲

例 1 你最喜欢哪种小动物？统计一下你们班里喜欢各种小动物的人数。

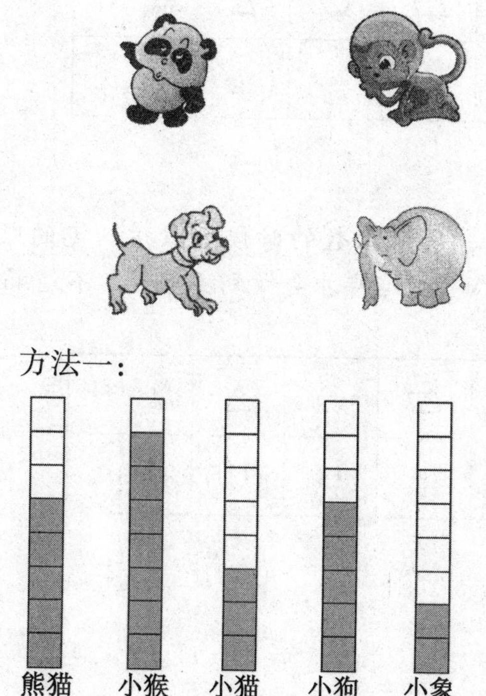

方法一：

方法二：

熊猫	小猴	小猫	小狗	小象
正	正丅	下	正	丅

方法三：

熊猫	小猴	小猫	小狗	小象
√√√√√	√√√√√√√	√√√	√√√√√	√√

例2

图　形	▯	□	▱	○	△	总　计
个　数						

分析与解答

由于图中图形种类比较多，所以在数的时候可以按一定的顺序去数，数过的图形可以打上“√”，这样才会做到不重复，不遗漏。

解：

图　形	▯	□	▱	○	△	总　计
个　数	5	1	1	15	11	33

基础练习

1．小小气象员。

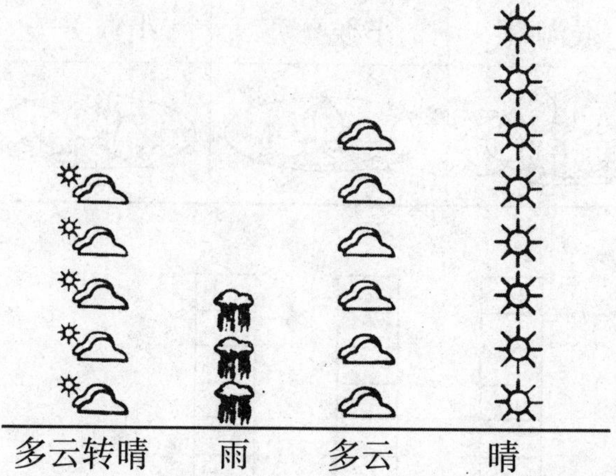

多云转晴　雨　多云　晴

根据上图填一填。

多云转晴	雨	多云	晴
（　）天	（　）天	（　）天	（　）天

2．想一想，填一填。

（　）朵　（　）朵　（　）朵　（　）朵

（1）百合比玫瑰多（　）朵。□○□＝□

（2）玫瑰比小花少（　）朵。□○□＝□

（3）百合和玫瑰共有（　）朵。□○□＝□

（4）你还能提出什么数学问题？

思维拓展

3．小猴吃桃。

小猴皮皮	小猴淘淘	小猴亮亮	小猴美美

（1）涂一涂。

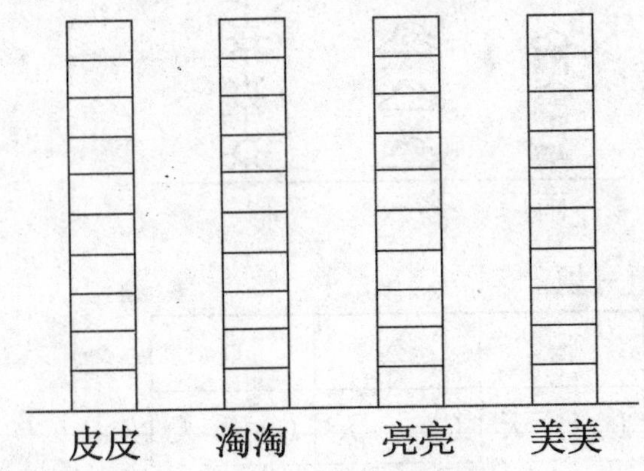

（2）4 只小猴一共吃了（　　）个。

（3）皮皮比淘淘少吃了（　　）个。

（4）淘淘比美美多吃了（　　）个。

4．看图填一填。

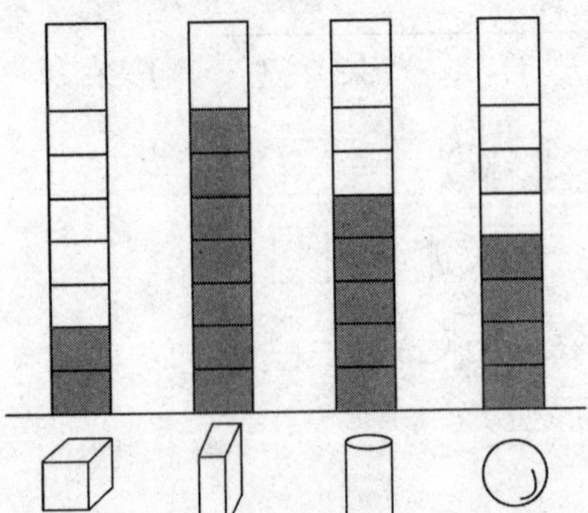

(1)

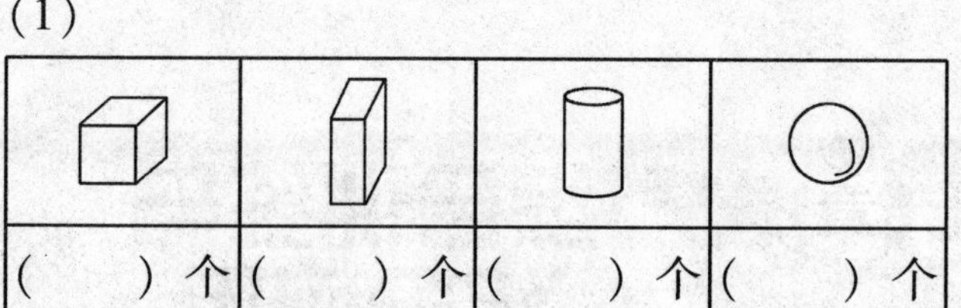

( )个	( )个	( )个	( )个

(2) 一共有( )个物体。

(3) 比 多( )个。

□○□=□(个)

(4) 比 少( )个。

□○□=□(个)

5. 解决问题。

(1) 胜利小学一年级学生人数。

一班	二班	三班	一共
32 人	34 人	33 人	

(2) 妈妈到百货商店买东西。

一共带了	买鞋用去	买袜子用去	还剩
50 元	30 元	8 元	

(3) 5 路公共汽车原有 82 人,到市政府站下去 14 人,又上来 7 人,现在车上有多少人?

第十七章 综合训练与综合应用

DISHIQIZHANG

一、画一画。

1. 画△，和□同样多。

□ □ □ □ □

____

2. 画○，比☆多1个。

☆ ☆ ☆ ☆ ☆

____

3. 画□，比△少2个。

△ △ △ △ △ △ △

____

4. 画○，比□多2个。

□□□□

____

5. 画□，比○少3个。

○○○○○

____

6. 请你在最高的下面画“√”，在最矮的下面画“○”。

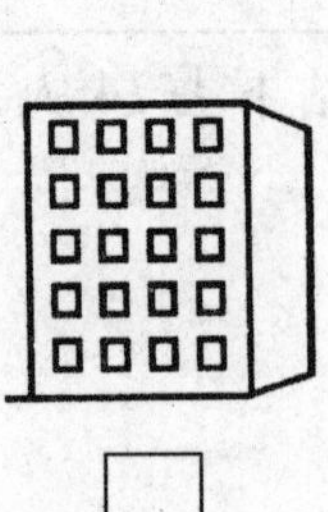
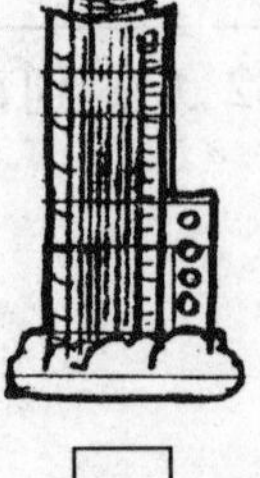

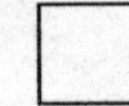

□ □ □

7. 照样子，数一数，画一画。

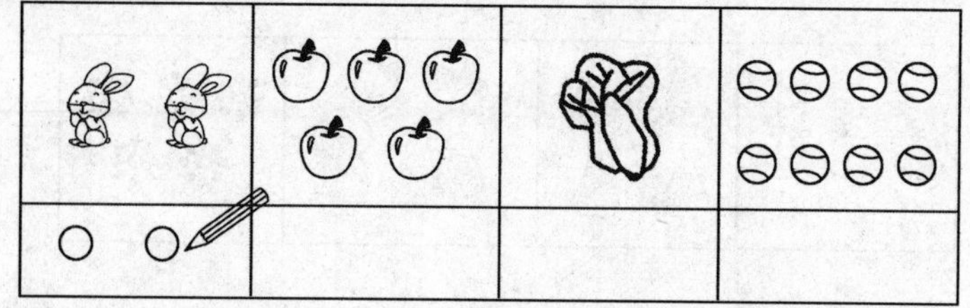

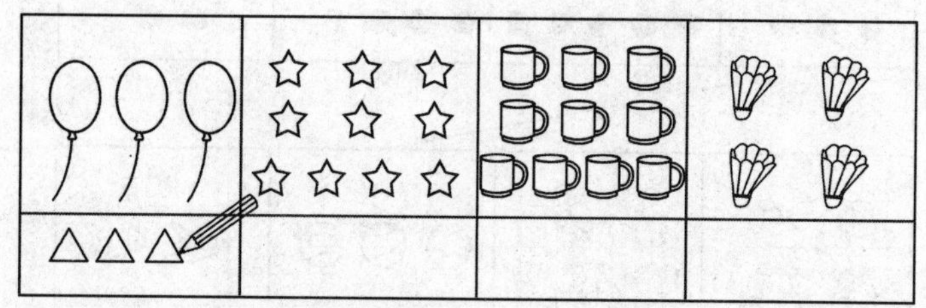

8. 把数量多的一种水果涂上颜色。

二、连一连。

1. 数一数图中的各类物体，把物体的个数和相应的数字用线连起来。

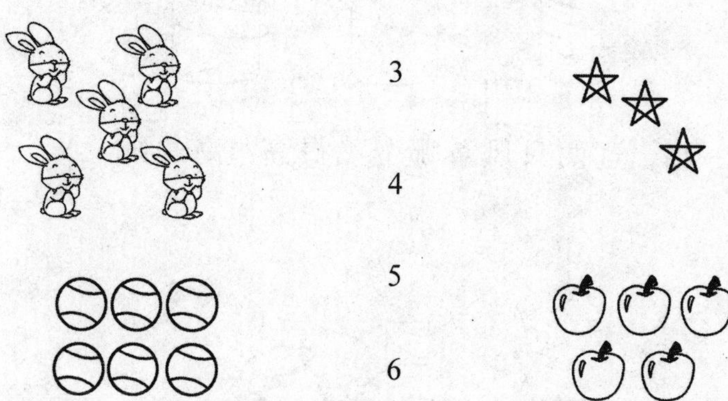

2．照样子，数一数，连一连。

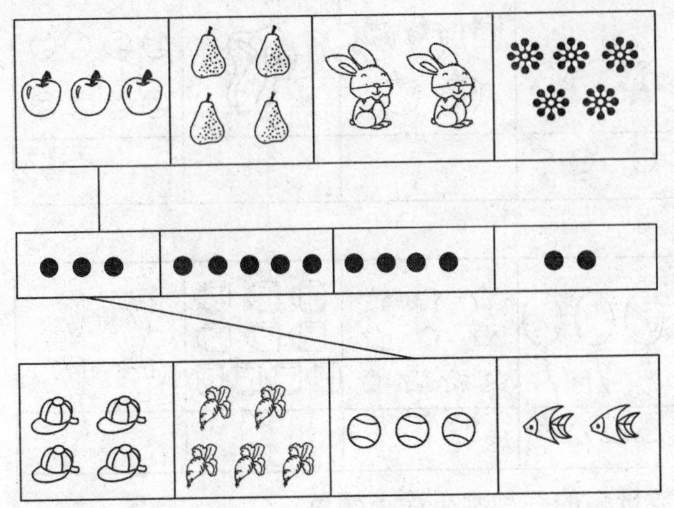

三、比一比

1．

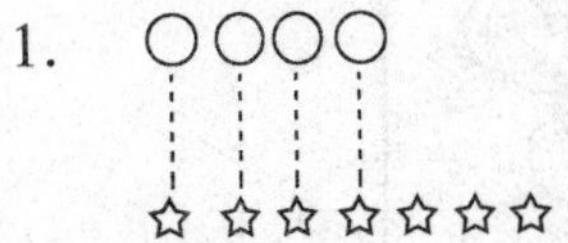

☆比○________，○比☆________。

2．哪根线最长？最长的画“√”，最短的画“○”。

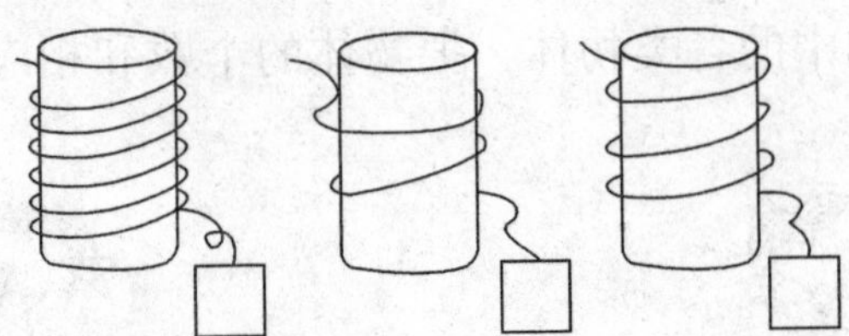

3．想一想，这两只风筝哪个飞得高？高的画“√”，矮的画“○”。

4. 两只蜗牛，谁先到达蘑菇屋呢？

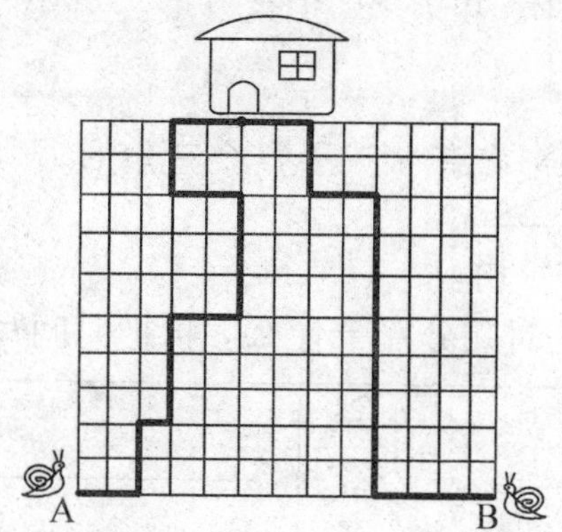

四、填一填。

（1）先在（　　）里填上数，再比较大小。

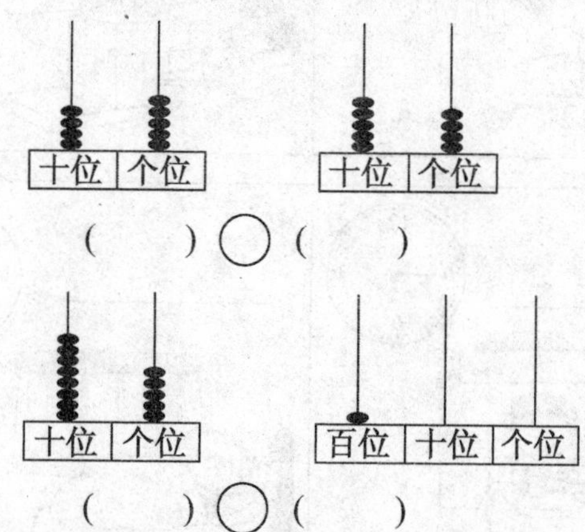

（2）8 个一和 5 个十合起来是（　　）。

（3）写出十位上的数字比个位上多 5 的两位数：________。

（4）65 的 6 在（　　）位上，表示（　　），5 在（　　）位上，表示（　　）。

（5）75 比 57 多（　　），比 42 多 13 的数是(　　)。

（6）48 前面的第五个数是（　　），后面的第五个数是(　　)。

（7）95 中的“9”在（　　）位上，表示 9 个（　　）；“5”在（　　）位上，表示 5 个（　　）。

（8）和 70 相邻的数是（　　）和（　　）。

（9）1 张 5 元 +2 张 2 元 +1 张 1 元 =（　　）元

1 张 50 元能换（　　）张 20 元和（　　）张 10 元。

(10) 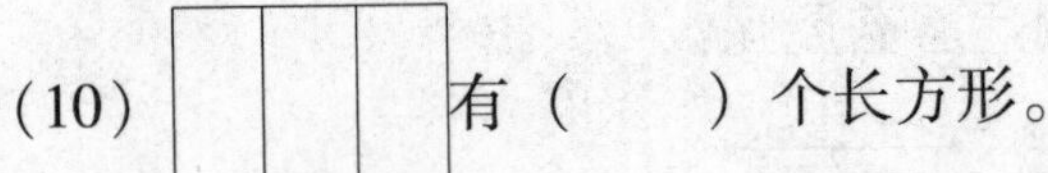 有（　　）个长方形。

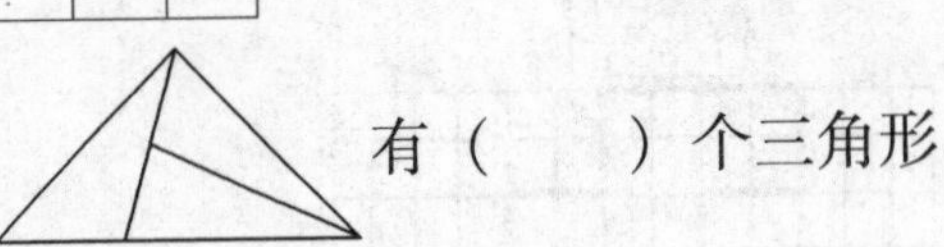 有（　　）个三角形。

五、说一说，讲一讲。

（1）说出淘气几时几分在干什么。再把时间写下来。

（2）你能根据下面的图形讲个故事吗？

①

②

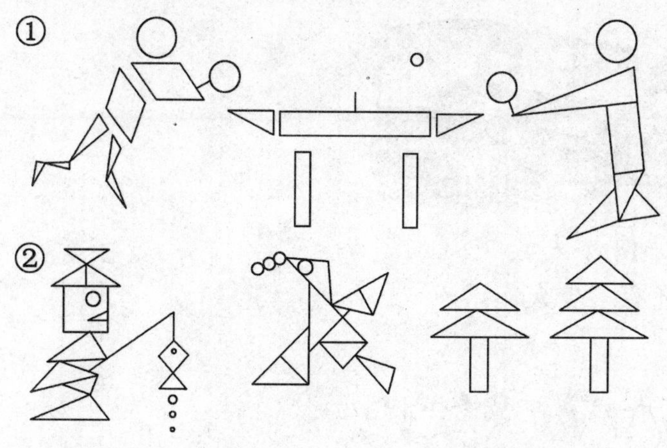

六、看图列式计算。

（1）

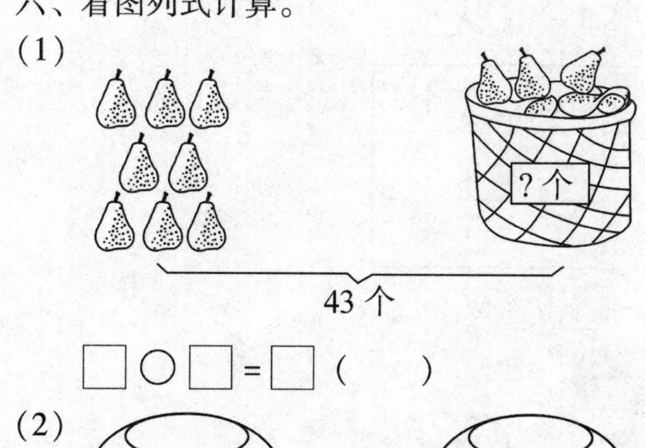

□○□=□（　　）

（2）

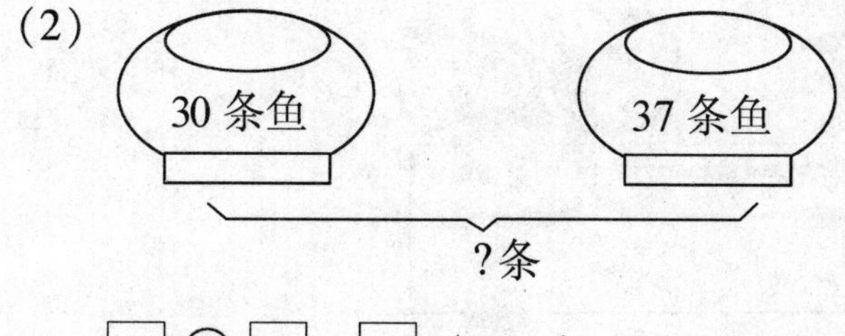

□○□=□（　　）

（3）

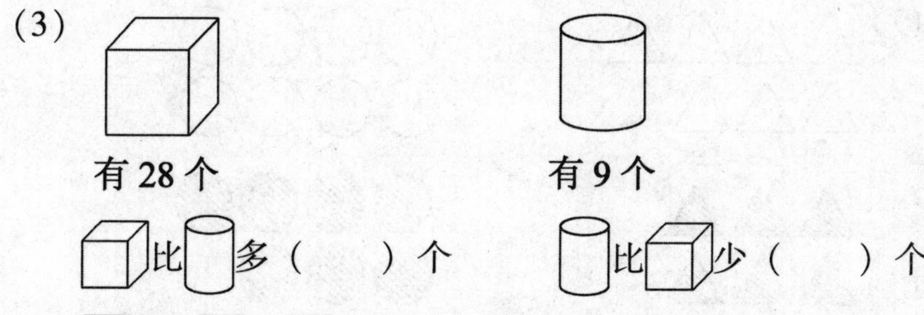

有 28 个　　　　**有 9 个**

比　多（　　）个　　　　比　少（　　）个

□○□=□（　　）

(4)

车上原来有 14 个人

现在车上还有多少人?

□○□=□(人)

(5)

	(　　)个
	(　　)个
一共	(　　)个

□○□=□(个)

(6)

□○□=□(个)

(7)

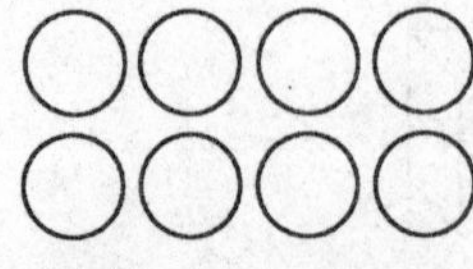

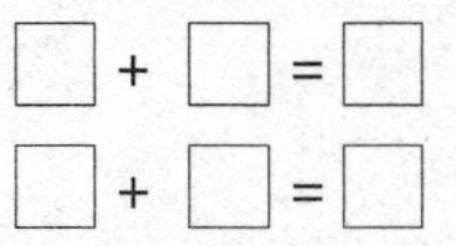

□ + □ = □　　　　□ + □ = □

□ + □ = □　　　　□ + □ = □

□ − □ = □　　　　□ − □ = □

□ − □ = □　　　　□ − □ = □

（8）

原有的个数	12	12	12	12	12
吃了的个数	9	8	7	6	5
剩下的个数					

七、应用题。

1. 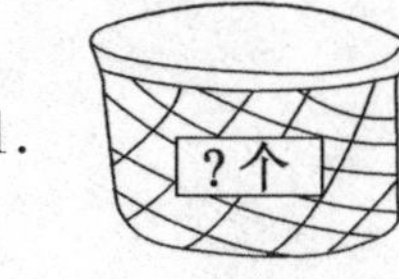

吃了 8 个
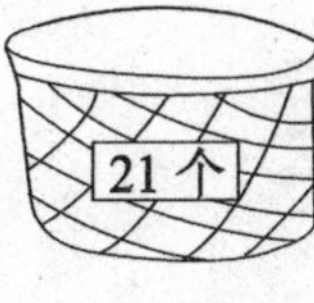

原来有多少个苹果？

2. 每人写 13 个大字。

（1）

我再写 6 个字，就写完了，你猜我写了几个？

(2)

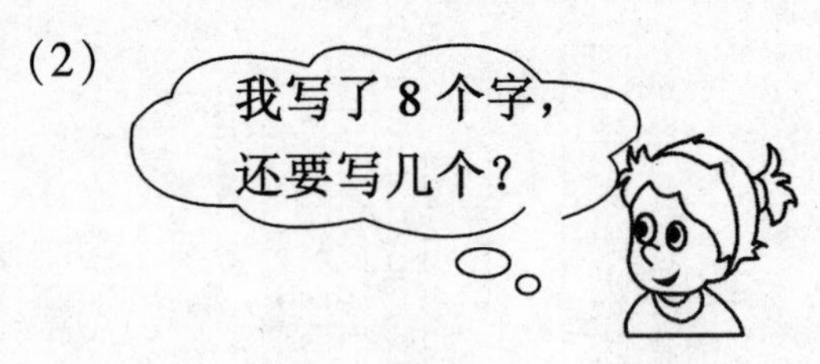

3. 爸爸买书，先买一本，用了25元，这时爸爸还有26元，后来又买了一本，用去了17元，这时爸爸手里还有多少钱？

4.

(1) 跳舞的人数比唱歌的少7人，跳舞的有多少人？

(2) 手工组的人数比跳舞的多9人，参加手工组的有多少人？

（3）三个小组一共多少人？

5. 一（1）班一共有36名同学，男生9名，女生多少名？

6. 小强要做40朵花，做了一些，还差15朵就做完了，做了多少朵？

7. 工艺品。

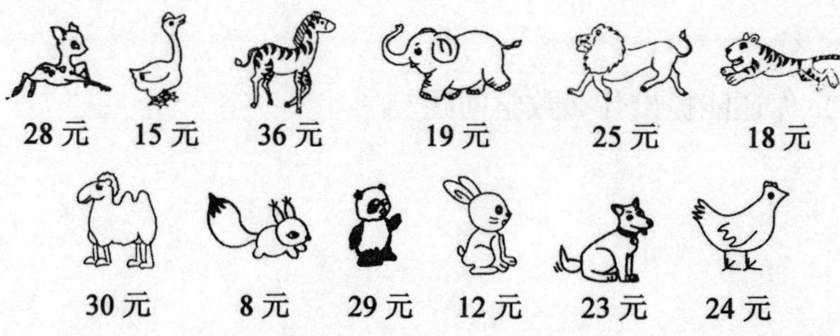

（1）小勇买一只大象与一只狮子，付了50元，应找回多少元钱？

(2) 小李买了几件工艺品，刚好需要 50 元。猜一猜，他买了哪几件工艺品?

(3) 一只骆驼刚好能换哪两件工艺品?

(4) 你喜欢哪三种工艺品，各买一件需要多少元钱?

(5) 你还能提出什么数学问题?

8. 母鸡下蛋。

篮子里有 36 个鸡蛋   篮子外还有 8 个。

（1）一共有多少个鸡蛋？

（2）往篮子里再放几个鸡蛋，就正好是 40 个鸡蛋了？

（3）你还能提出什么问题？会解答吗？

9. 小刺猬采蘑菇。

一个筐可以装 26 个蘑菇。

（1）小刺猬已经采了多少个蘑菇？

（2）小刺猬已经采了16个蘑菇，如果再采10个，就正好装满一筐。一筐有多少个蘑菇？

10．实验室里只有78把椅子，一（1）班有38人，一（2）班有42人，两个班同时去做实验，还要再搬几把椅子？

八、条件与问题。

1．根据条件选问题。（在正确的后面划“√”）

① 小明原来有20本日记本，又买来42本。

A．还剩多少本？（　　）

B．现在有多少本？（　　）

② 学校有38个球，一年级借走了15个球。

A．学校有多少个球？（　　）

B．借走了多少个球？（　　）

C．学校还剩多少个球？（　　）

2．根据条件选问题，再计算。

① 王大爷家养白兔35只，卖了15只。（　　）

A．原来养兔多少只？

B．卖了多少只？

C．买了多少只？

D．还剩多少只？

列式计算：________________________________

答：________________________________

② 有一堆皮球，拿走了5个，还剩20个。（　　）

A. 原来有多少个皮球？

B. 还剩多少个？

C. 拿走了多少个？

列式计算：________________________

答：____________________________

3. 根据条件提问题再列式计算。

妈妈买了一件上衣花了 55 元，买了一条裤子花了 35 元。

（1）用加法计算的问题：________________________

列式计算：________________________

答：________________________

（2）用减法计算的问题：________________________

列式计算：________________________

答：________________________

4. 补充条件并列式计算。

学校买来一批新书，__________，还剩 30 本，这批新书有多少本？

列式计算：________________________

答：________________________

5. 看图提问题，并列式计算。

九、买哪种花？

菊花

百合

玫瑰

风玲

喜欢哪种花的人数多

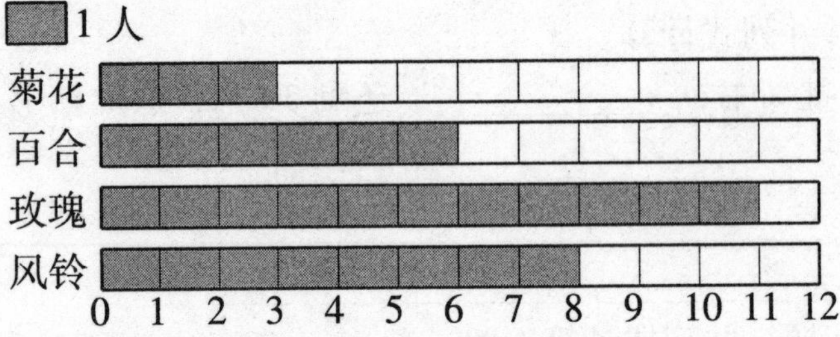

1. 从图中可以看出，向（　　）人进行了调查。

2. 喜欢（　　）花的人最多。

3. 如果你去买花，你会多买（　　）花，少买（　　）花。

4. 假如有一名同学没有被调查，你猜测他可能喜欢(　　)花。

参考答案

第一章　生活中的数

基础练习

1. 数一数，填一填。

   1　2　3　4　5　6　7　8　9　10

2. 数一数，把正确的数字圈上。

   11　13　17　20　13　19

思维拓展

3. 略

4. 涂一涂，数一数。

   ○有（8）个，△有（6）个，□有（4）个。

5. 找朋友，连一连。

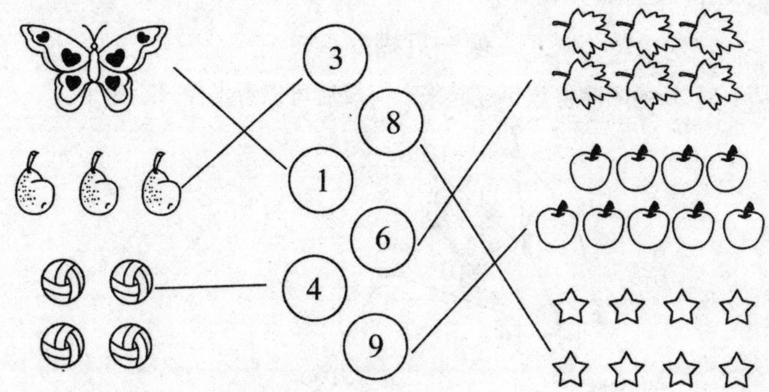

6. 先10个一圈，再数数有多少个。

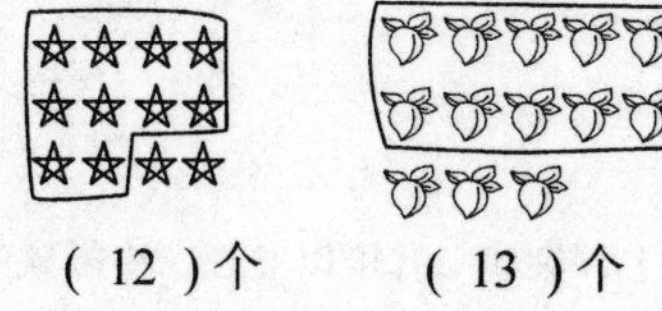

(12)个　　(13)个

7. 看图写数。

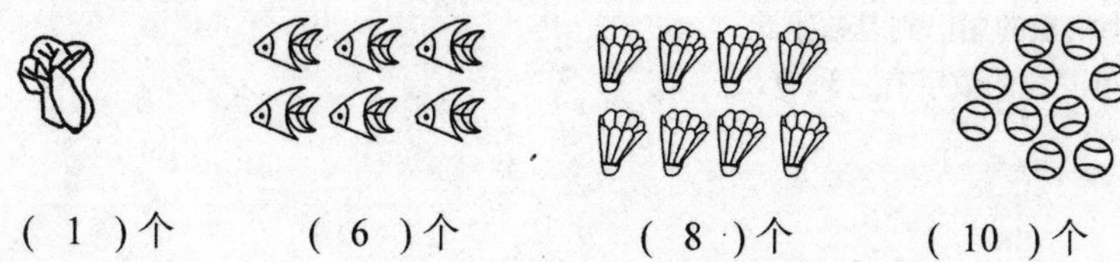

(1)个　　(6)个　　(8)个　　(10)个

8. (1)

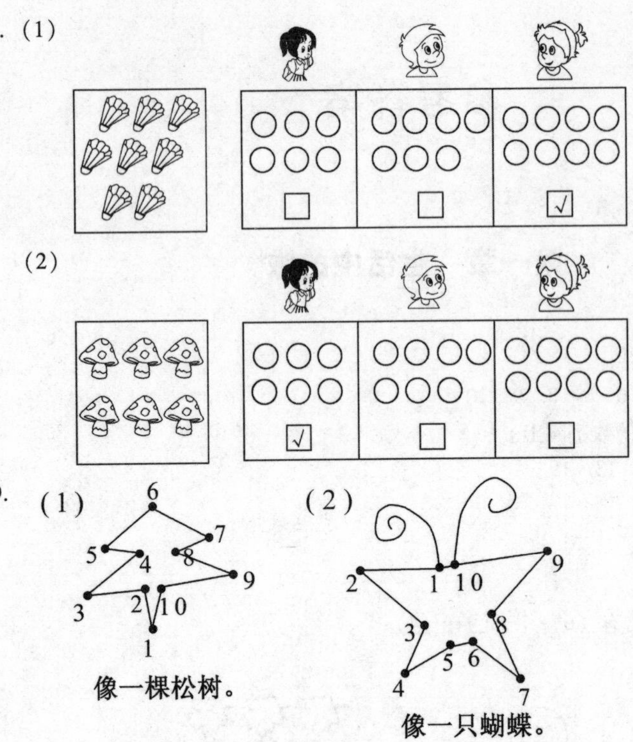

(2)

9. (1) (2)

像一棵松树。

像一只蝴蝶。

10. 提示：按照从 1 到 20 的顺序将数字连起来。完成后可以看出像只小兔子。

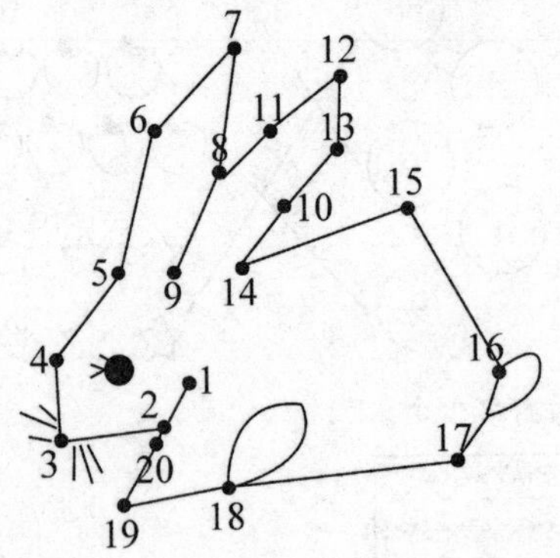

智慧列车

11. 提示：这是一只可爱的小松鼠，在小松鼠身上仔细找一找可以发现，小松鼠的耳朵是数字3，小松鼠的眼睛是数字0，小松鼠的脸和身子可以看做6或倒着放的9，小松鼠的前爪是倒放的7，小松鼠的尾巴则是数字5。

在小松鼠图里藏着的数字有：3、0、6、9、7、5。

第二章　比一比

第一节　比多少

基础练习

1. 说一说。

（1）

小猫的只数和鱼的条数同样多。

（2）

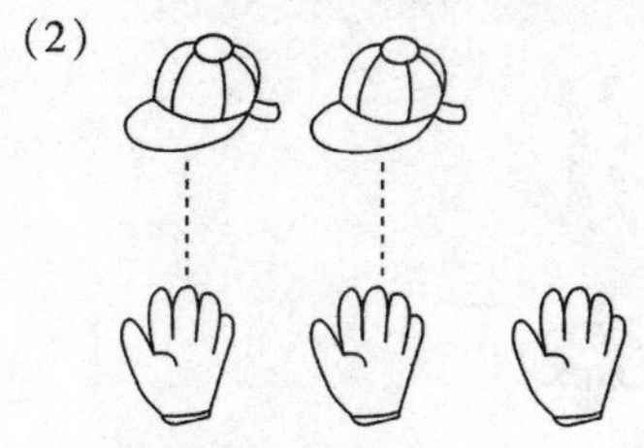

手套比帽子多。

（3）

小兔比萝卜少。

2. 比一比，在多的后面画“√”。

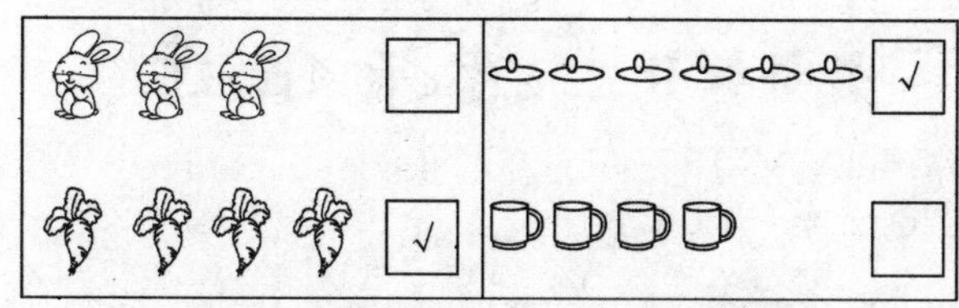

3. 在最多的后面画“√”，在最少的后面画“○”。

思维拓展

4. 请你画一画。

(1) △△△△△
○○○○○

(2) □□□
△△△△

5. 连一连。

(1)

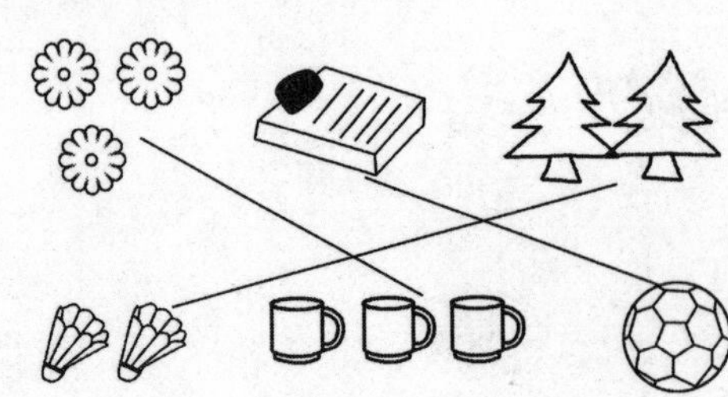

(2)

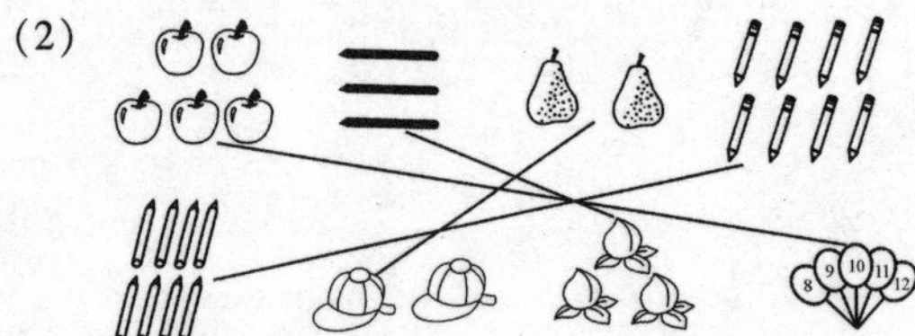

(3)

(4)

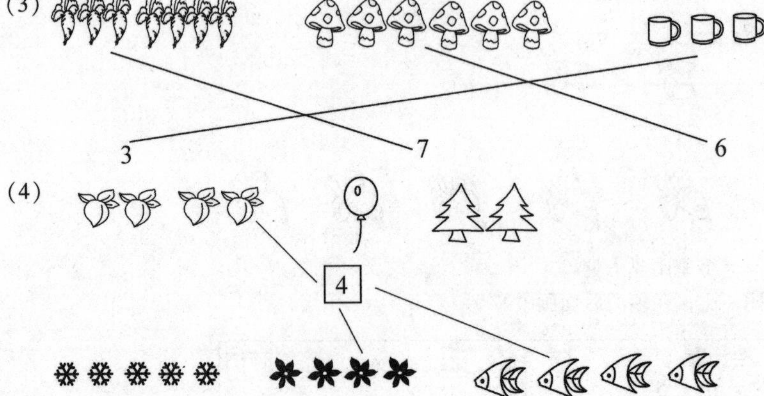

6. 比多少。（在多的一行后画上“√”）

(1) ○○○○○○○ （ √ ）
○○○○○ （ ）

(2) □□□□ （ ）
□□□□□ （ √ ）

(3) ☆☆☆☆☆☆☆☆ （ ）
☆☆☆☆☆☆☆☆☆ （ √ ）

(4) △△△△△ （ √ ）
△△△△ （ ）

(5) ◇◇◇◇◇◇◇◇ （ √ ）

◇◇◇◇◇◇　（　）

（6）●●●●　（　）

◇◇◇◇◇◇◇　（ √ ）

7. 看图填合适的数。

（1）花比叶多3　6比3多3

（2）小鸡比蘑菇多2　2比4少2

（3）鱼和苹果同样多

8. 动手画一画。

（1）△ △ △
○ ○ ○

（2）□□□□□□□
○○○○○

（3）☆ ☆ ☆ ☆
○ ○ ○ ○ ○ ○

（4）6 ○○○ ○○○　9 ○○○ ○○○ ○○○　3 ○○○　7 ○○○○ ○○○

（5）9　4　8

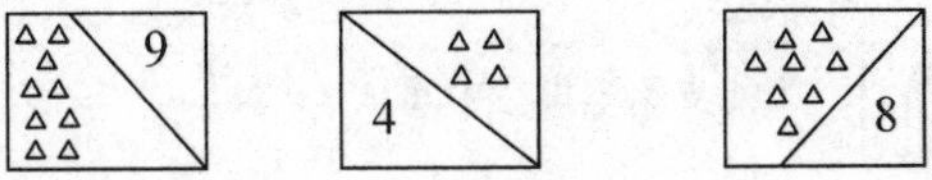

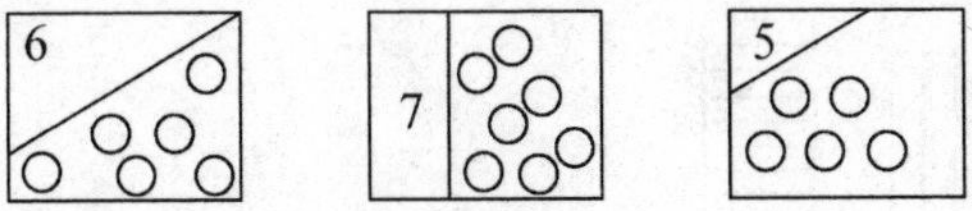

（6）6　7　5

（7）2　5　8

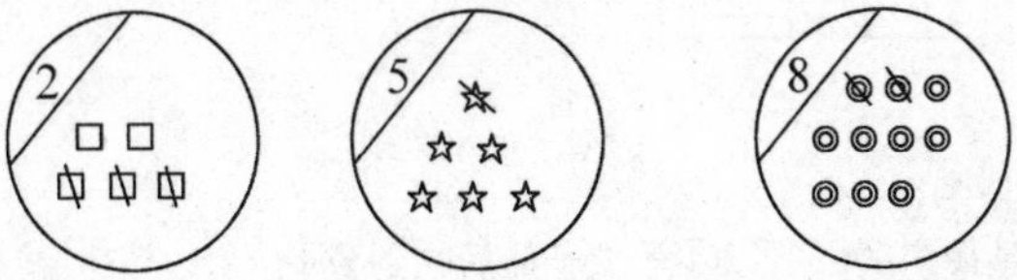

（8）略

9. 略

10. 根据图意圈出正确的说法。

（1）同样多　（2）少

11. 看图填一填。

（1）2　（2）3　（3）1

智慧列车

12.

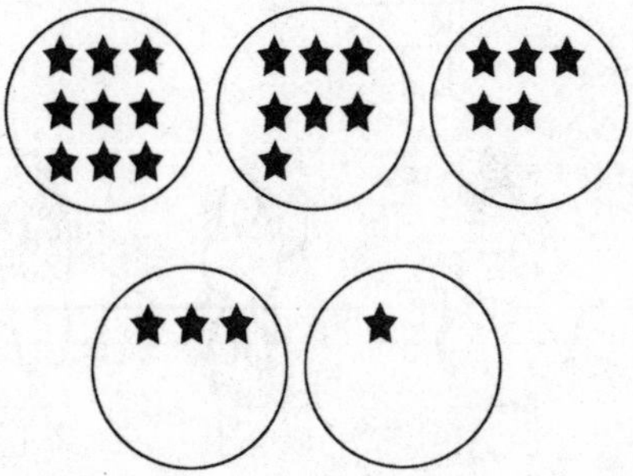

第二节　比长短

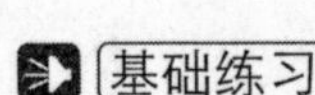

基础练习

1.

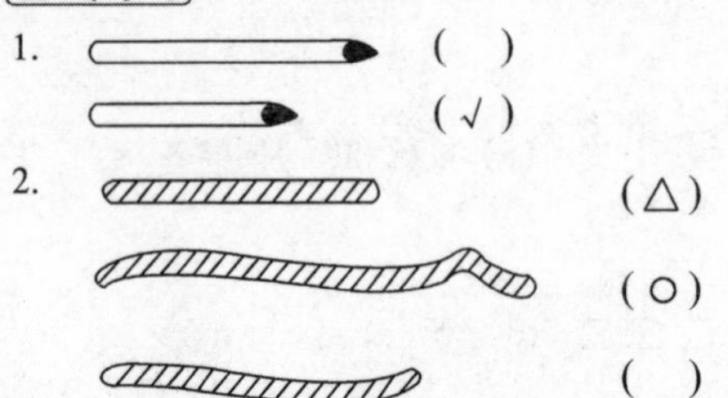

( )

(√)

2.

(△)

(○)

( )

思维拓展

3. 第③条线最长，第②条线最短。 4. 花猫最先吃到鱼。 5. 略 6. 略

7. 第③　　第① 8. ① 4 根 ② 7 根

9.

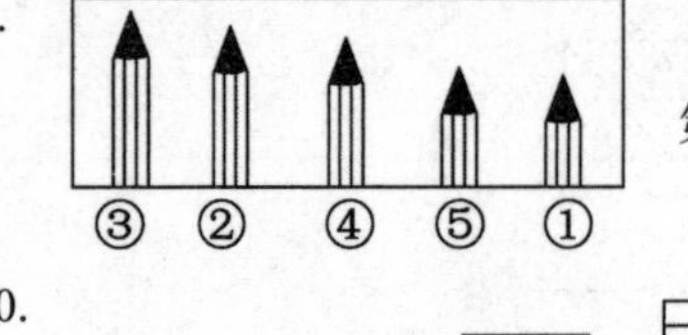

第④支铅笔排在中间。

10.

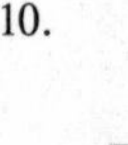

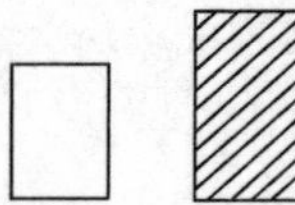

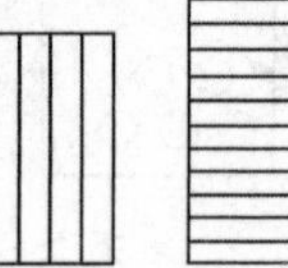

11. 略 12. 略

智慧列车

13. ④号兔子走的弯路是最多的，所以④号兔子最后吃到萝卜。

第三节　比高矮

基础练习

1.

(√)

( )

2.

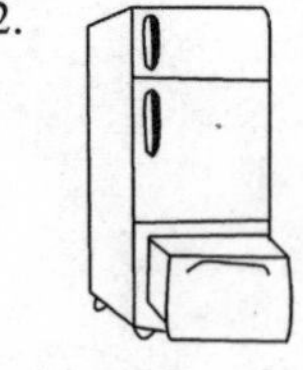

□

△

3.

(√)

(○)

4.

□

○

√

5.

6.

7. 略

8.

9. (1) 按从高到矮的顺序排列应为：乙、甲、丙。

(2) 它们中小牛最高，小狗最矮。

按从矮到高的顺序排列为：小狗、小猴、小羊、小牛。

10. 他们当中乙是最高的，丁是最矮的。

11. 从图中可以看出，桥是由4层板搭成的，而汽车是由三层板搭成的，因此桥比汽车高，汽车可以从桥下顺利通过。

12. 略

智慧列车

13. ①号杯子里的水升得最高。

第三章 1~5的加减法

基础练习

1. 看图列式。

2 + 2 = 4　　3 + 1 = 4

2. 看图列式。

(1) 1+3=4　4-1=3

(2) 提示：第一个盒子里有4个小球，用4表示，第二个盒子里没有小球，可以用0表示，两个盒子一共还是4个小球。　4+0=4（个）

3. 看图写算式。

3+2=5　5-2=3　2+3=5　5-3=2

思维拓展

4. 选一选。(在正确答案下的括号里打"√")

(1) 什么也不写　用1　用0

(　)　(　)(√)

(2) 3+2=5　5-3=2　5-2=3

(　)　(√)　(　)

5. 2+3=5（个）　答：两班一共有5个。

6. 1+2=3（个）　答：姐妹两个一共吃了3个。

7. 3+1=4（只）　答：小明家现在有4只。

8. 5-4=1（个）　答：还差1个凳子。

9. 5-2=3（个）　答：冬冬现在还有3个气球。

10. 2+2=4（个）　答：明明和亮亮共有4本故事书。

智慧列车

11. 想一想，算一算。

提示：小红前面有3个人，后面有1个人，我们不要忘了小红也在这一行之中，所以还要加上小红1个人。

3+1+1=5（个）　答：这一行共有5个人。

第四章　6~10的加减法

基础练习

1. 看图写算式。

4+5=9（朵）　7-2=5（个）

2. 看图写算式。

8+2=10（个）　10-6=4（个）

3. 把相加得数是7的用线连起来。

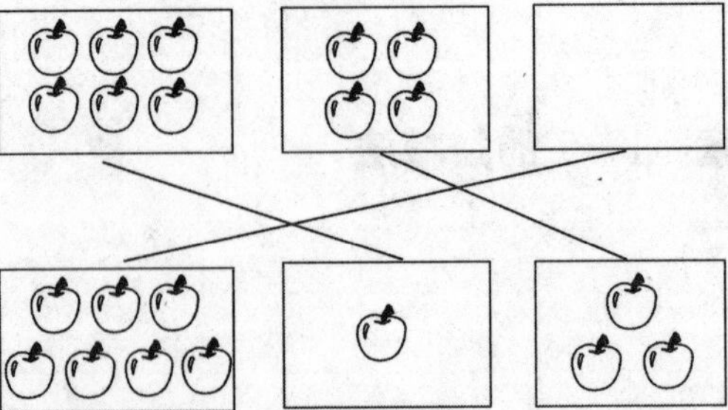

4. 看图列式。

4 +5 =9　5 +4 =9　9 −4 =5　9 −5 =4

5. 略

思维拓展

6. 看图填空。

还差___2___个盒子。

7 −5 =2（个）

7. 9 −5 =4（个）

○比△多___4___个。　　△比○少___4___个。

8.（1）○有___4___个，△有___5___个，☆有___8___个。

（2）○和△共有___9___个。34 +5 =9（个）

（3）△比○多___1___个，○比△少___1___个。

5 −4 =1（个）

9. 7 +2 =9（个）　答：小刚一共学了 9 个生字。

10. 3 +4 =7（只）　答：爷爷一共养了 7 只鸟。

11. 4 +3 =7（个）　答：小红和小华一共有 7 个。

12. 9 −2 =7（支）　答：还剩 7 支。

13. 10 −4 =6（只）　答：洞里还剩 6 只小蚂蚁。

14. 4 +4 =8（个）　答：体育室现在有 8 个排球。

15. 6 +4 =10（只）　答：动物园里一共有 10 只猴子。

16. 10 −4 =6（袋）　答：还剩 6 袋。

17. 6 +2 =8（个）　答：商店一共卖出 8 个皮球。

18. 4 +3 =7（辆）　答：停车场一共有 7 辆汽车。

19. 10 −8 =2（道）　答：还有 2 道题没做。

智慧列车

20. 提示：捉迷藏游戏是 1 个孩子捉人，其余的孩子被捉。知道一共有 10 个孩子玩，则应有 10 −1 =9（个）孩子是被捉的。已经捉住 5 个，那么还剩 9 −5 =4（个）孩子是没有捉住的。

10 −1 −5 =4（个）

答：还有 4 个人没有捉住。

第五章　10 以内的加减混合运算

基础练习

1. 看图列式计算。

2 +6 +2 =10　3 +4 +2 =9　5 +1 +3 =9

2. 看图列式计算。

9 −4 =5　10 −2 −3 =5

3. 看图列式计算。

10 −3 −2 =5　10 −2 −6 =2　6 −1 −1 =4

4. 看图列式计算。

4 +2 -1 =5　5 +2 -2 =5

思维拓展

5. 3 +5 -2 =6（只）　答：院子里现在有 6 只猫。
6. 7 -2 +4 =9（名）　答：小巴士车上现在有 9 名乘客。
7. 5 +4 -3 =6（本）　答：图书架上还有 6 本书。
8. 3 +2 +2 =7（个）　答：小明、姐姐、哥哥一共吃了 7 个苹果。
9. 4 -1 +4 =7（条）　答：小亮和小明一共钓了 7 条。
10. 5 -2 +5 =8（只）　答：池塘里有青蛙和金鱼一共 8 只。
11. 8 -3 +5 =10（个）　答：盘子里现在有 10 个苹果。
12. 7 -4 +7 =10（个）　答：小白兔和小灰兔一共拔了 10 个萝卜。
13. 9 -2 -4 =3（只）　答：电线上现在有 3 只燕子。
14. 10 -3 -3 =4（辆）　答：停车场现在有 4 辆车。
15. 8 -4 +5 =9（只）　答：岸上现在有 9 只鸭子。
16. 5 +4 +1 =10（个）　答：这一队共有 10 个人。
17. 8 -2 -2 =4（只）　答：荷叶上还有 4 只青蛙。
18. 5 +3 +2 =10（道）　答：这一天丹丹共写了 10 道应用题。
19. 10 -5 +2 =7（个）　答：现在桌子上有 7 个气球。
20. 2 +3 +4 =9（盆）　答：教室里共有 9 盆菊花。
21. 8 -1 -2 =5（个）　答：家里现在还剩 5 个馒头。
22. 2 +4 +2 =8（个）　答：一共跑出去 8 个同学。

智慧列车

23. 4 +3 -2 =5　或 4 +3 -5 =2　或 3 +4 -2 =5　或 3 +4 -5 =2

第六章　20 以内的加减法（一）

基础练习

1. 填空。

(1) 上图有（18 只）只鸡；(2) 略；(3) 略。

2. 看图列算式。

15 +4 =19（支）　14 -4 =10（支）

3. 猜猜看。

17　12　10

4. 填空。

(1) 1　10　(2) 12　2　(3) 20　15　(4) 14　17

5. 看图填算式。

(1) 10 +3 =13　10 +6 =16　(2) 10 +8 =18　18 -8 =10　8 +10 =18　18 -10 =8

6. 看图填算式。

13 -3 =10（支）　10 +4 =14（朵）　16 -6 =10（只）　12 +5 =17（只）

7. (1) 一共有（14）个△。

（2）一共有（19）朵✿。

思维拓展

8. 15 - 3 = 12（只）　答：树上还有 12 只鸟。
9. 16 + 2 = 18（个）　答：第二盘里有 18 个桃。
10. 15 + 4 = 19（条）　答：现在叔叔有 19 条金鱼。
11. 11 - 1 = 10（个）　答：树上还有 10 个气球。
12. 19 - 1 = 18（条）　答：现在鱼缸里还剩 18 条金鱼。
13. 13 - 3 = 10（个）　答：小玲还有 10 个苹果。
14. 15 + 3 = 18（只）　答：岸上一共有 18 只大海龟。
15. 14 + 4 = 18（条）　答：水中一共有 18 条鲤鱼。
16. 13 + 4 = 17（本）　答：桌子上现在有 17 本书。
17. 10 + 10 = 20（块）　答：两个人共有 20 块糖。
18. 18 - 7 = 11（个）　答：还有 11 个人没有过。
19. 12 - 1 = 11（个）　答：围成圆圈的有 11 个小朋友。
20. 16 - 5 = 11（条）　答：现在还剩 11 条鱼。

智慧列车

21. 因为 3 个苹果等于 1 个菠萝，所以 6 个苹果等于 2 个菠萝。

第七章　20 以内的加减混合运算（一）

基础练习

1. 看图列式计算。
   15 - 3 - 2 = 10（个）
2. 看图列式计算。
   19 - 4 - 5 = 10
3. 看图列式计算。
   10 + 3 + 1 = 14

思维拓展

4. 18 - 8 + 7 = 17（辆）　答：停车场现在有 17 辆。
5. 19 - 5 + 4 = 18（名）　答：巴士上现在有 18 名乘客。
6. 20 - 10 - 5 = 5（元）　答：妈妈还剩 5 元钱。
7. 10 + 5 + 5 = 20（只）　答：草地上一共有 20 只鸡。
8. 11 + 3 + 3 = 17（只）　答：小田家养的鸡、鸭、鹅共有 17 只。
9. 18 - 2 - 3 = 13（支）　答：还剩 13 支。
10. 8 + 10 - 6 = 12（条）　答：还剩 12 条船。
11. 18 - 7 + 2 = 13（袋）　答：食堂现在有 13 袋面。
12. 6 + 12 - 8 = 10（筐）　答：还剩 10 筐。
13. 3 + 1 + 9 = 13（人）　答：这队共有 13 人。
14. 2 + 1 + 12 = 15（人）　答：小燕站的这一行共有 15 人。
15. 16 - 1 - 3 = 12（个）　答：小成的右边有 12 个同学。

16. 11 + 8 − 7 = 12（颗）　答：还剩 12 颗。
17. 4 + 1 + 4 = 9（个）　答：这一队共有 9 个同学。

智慧列车

18. 好邻居。

第八章　有趣的图形

第一节　认识物体和图形

基础练习

1. 略
2. 下面图形哪些是长方体？把序号填在（　　）里。
（⑤）
3. 看图填空。
4　4　2　3

思维拓展

4. 略
5. 机器人。
▭有（16）个；□有（1）个；○有（4）个；△有（1）个。

智慧列车

6. 略

第二节　立体图形的拼组

基础练习

1. 数一数，填一填。
(1) 3　4　1　2　(2) 5　3 + 2 = 5（个）　(3) 3　1 + 2 = 3（个）
(4) 1　4 − 3 = 1（个）　(5) 2　3 − 1 = 2（个）
2. 数一数，每堆各有几个正方体。
5　10

思维拓展

3. 略
4. 找一找，填一填。
○有 2 个；正方体有 2 个；长方体有 4 个；圆柱有 3 个。
5. 看图填表

图形	个数
长方体	4
正方体	2
球	2
圆柱	4

第三节　认识平面图形

基础练习

1. 略　2. 略　3. 略

思维拓展

4. 数一数。

（1）5　（2）6　（3）8　1　（4）5　5　（5）7　（6）3

5. 略

6. 数一数。

（1）图中有 1 个△；有 4 个□；有 3 个○；有 8 个▭。

（2）图中有 9 个△；有 3 个▭；有 0 个□。

第四节　平面图形的拼组

基础练习

1. 略　2. 略

思维拓展

3. 略　4. 略

5. 想一想，接着画。

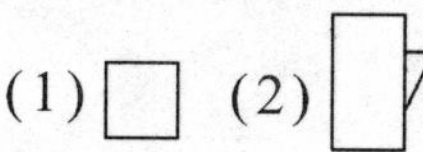
（3）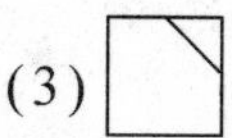
（4）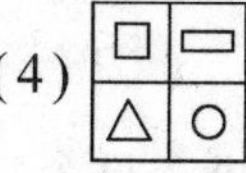 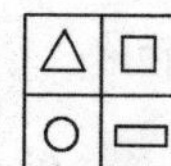

6. 数一数。

18 个▭，6 个○，14 个▭，4 个□，3 个△，7 个□。

智慧列车

7. 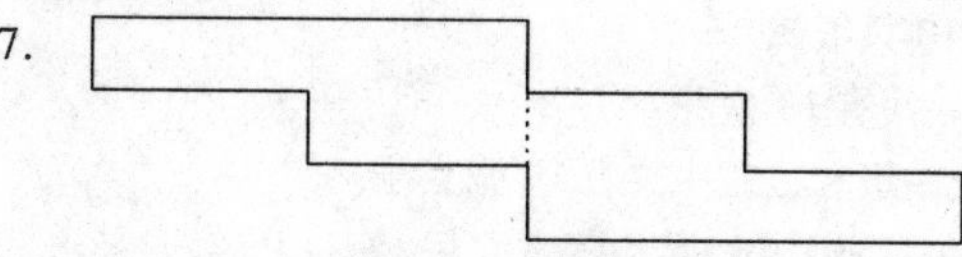

按虚线剪，之后将右边的移到左边即可拼成一个长方形。

第九章　20 以内的加减法（二）

第一节　进位加法

基础练习

1. 画一画，加一加。（画图略）

（1）5 + 8 = 13　（2）9 + 5 = 14　（3）9 + 3 = 12

2. 9 + 5 = 14（根）　15 − 9 = 6（根）

3. 先用○摆一摆，再计算。

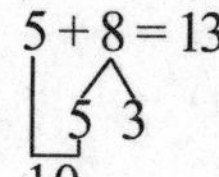 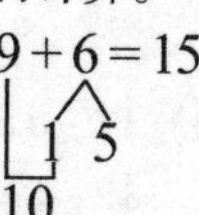

4. 加一加。

(1) 8 + 4 = 12　4 + 8 = 12　(2) 8 + 7 = 15　7 + 8 = 15

(3) 3 + 7 = 10　7 + 3 = 10　(4) 8 + 3 = 11　3 + 8 = 11

(5) 6 + 5 = 11　5 + 6 = 11　(6) 6 + 7 = 13　7 + 6 = 13

5. 看图列算式。

(1) 4 + 2 = 6　6 - 2 = 4　(2) 10 + 6 = 16　16 - 6 = 10

(3) 8 + 4 = 12（个）　4 + 8 = 12（个）　(4) 6 + 7 = 13（根）　7 + 6 = 13（根）

思维拓展

6. 看图填数。

还剩 8 个

原有 15 个

借出 9 个

7. 填表。

还剩 7 支　还剩 8 块

还剩 9 个　还剩 4 本

8. 算一算。

一共有 12 个　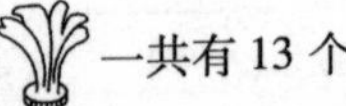一共有 13 个

一共有 16 根　一共有 13 个

9. 选择正确的算式。（正确的算式打"√"）

(1) B、C　(2) B

10. 8 + 7 = 15（个）　答：两次一共踢了 15 个。

11. 4 + 6 = 10（只）　答：可以折 10 只纸鹤。

12. 9 + 9 = 18（盆）　答：花坛里一共有 18 盆花。

13. 11 + 8 = 19（张）　答：一年级一班和二班一共有 19 张桌子。

14. 7 + 9 = 16（棵）　答：同学们一共浇了 16 棵。

15. 6 + 7 = 13（张）　答：木工叔叔昨天和今天一共做了 13 张桌子。

16. 9 + 3 = 12（条）　答：小花猫钓了 12 条。

17. 8 + 9 = 17（袋）　答：两个月一共用了 17 袋面。

智慧列车

18. 2 + 5 = 7 或 5 + 2 = 7

10 - 4 = 6 或 10 - 6 = 4

第二节　退位减法

基础练习

1. 看图列式计算。

(1) 12 - 3 = 9（个）　(2) 14 - 5 = 9（个）　(3) 12 - 4 = 8（朵）

(4) 15 - 9 = 6（支）　(5) 16 - 5 = 11（支）　(6) 17 - 8 = 9（个）

（7）12－5＝7（只）　（8）13－4＝9（支）　（9）11－4＝7（条）
（10）14－7＝7（根）

2. 看图列式。

（1）12－6＝6（只）　（2）13－7＝6（个）　（3）14－6＝8（把）
（4）12－5＝7（只）　（5）16－5＝11（个）　（6）14－5＝9（个）
（7）12－3＝9（人）　（8）16－7＝9（个）

思维拓展

3. 看图列算式。

（1）8＋6＝14　7＋6＝13
6＋8＝14　6＋7＝13
14－8＝6　13－7＝6
14－6＝8　13－6＝7
（2）14－6＝8（个）
（3）11－4＝7（个）

4. 14－8＝6（只）　答：还剩6只在吃草。

5. 16－7＝9（个）　答：还剩下9个。

6. 17－9＝8（个）　答：还剩8个。

7. 14－5＝9（个）　答：小松鼠的袋子里还剩9个松果。

8. 15－7＝8（条）　答：小猫还剩8条鱼。

9. 14－6＝8（箱）　答：还剩8箱。

10. 12－8＝4（岁）　答：哥哥比弟弟大4岁。

11. 20－9＝11（个）　答：足球比排球多11个。

12. 14－6＝8（人）　答：男生比女生多8人。

13. 20－4＝16（页）　答：看了16页。

14. 13－8＝5（袋）　答：吃了5袋大米。

智慧列车

15. 提示：在做题中我们不要忽略，华华也在队中，所以还要减去华华一个人。
17－8－1＝8（人）　答：华华的后面有8人。

第十章　20以内的加减混合运算（二）

基础练习

1. 看图列式计算。

（1）2＋10＋1＝13　（2）12＋6＋1＝19　（3）19－5－10＝4　（4）9＋9＋1＝19

思维拓展

2. 7－5＋12＝14（名）　答：操场上现在有14名同学在跳绳。

3. 7－6＋10＝11（把）　答：小百货现在有11把牙刷。

4. 7＋7＝14（本）　答：小丽和小红一共有14本故事书。

5. 3 + 7 + 5 = 15（支）　答：小明现在一共有 15 支铅笔。
6. 4 − 1 + 8 = 11（个）　答：二年级现在有 11 个足球。
7. 8 − 2 + 8 = 14（个）　答：家里现在有 14 个杯子。
8. 4 + 5 + 3 = 12（本）　答：书架上一共有 12 本书。
9. 8 + 2 + 2 = 12（岁）　答：哥哥今年 12 岁。
10. 3 + 4 + 6 = 13（个）　答：小红、小华和小刚一共画了 13 个鸡蛋。
11. 4 + 7 + 2 = 13（岁）　答：2 年后哥哥 13 岁。
12. 11 − 2 + 11 = 20（个）　答：小刚昨天和今天一共学了 20 个生字。
13. 19 − 7 + 8 = 20（个）　答：水果店现在有 20 个西瓜。
14. 9 + 6 − 1 = 14（个）　答：这一行有 14 个小朋友。
15. 3 + 5 = 8（米）　答：两次共用去 8 米。
16. 12 + 8 − 1 = 19（个）　答：这队小朋友一共有 19 个人。

智慧列车

17. 提示：在本题中，小明其实比小亮少 2 本书，所以先求出小明的书有多少本，再把两个人的书本数加起来。

8 − 2 + 8 = 14（本）

答：两个人一共有 14 本故事书。

第十一章　生活中的数（二）

第一节　数数　数的组成

基础练习

1. 略　2. 略　3. 略

思维拓展

4. 想一想，再填数。

46	47	48	49	50	51	52	53	54	55	56

79	80	81	82	83	84	85	86	87	88

5. 填一填。

（1）85　29　（2）6　4　（3）4　5

6. 略

智慧列车

7. 填一填。

（1）8　9　（2）10　（3）7　3　（4）9　1　（5）38

第二节　读数　写数

基础练习

1. 写一写，读一读。

26　62　30　78　60　100

2. 略

3. 小敏写数。

39　40　41　42

4. 遮住的数是几?

48　29　100　60

5. 填一填。

三十九　　七十三　　一百

思维拓展

6. 略

第三节　数的顺序　比较大小

基础练习

1. 比一比。

34 <36　28 >24

2. 比一比。

41 <48　36 <63　100 >99　72 >62

3. 50 >48　答：够吃。

4. 比大小。

98 >89　　43 >34　　65 <69

100 >99　　25 =25　　74 =74

思维拓展

5. 略

6. 猜一猜。

(1) 41　42　43　44　(2) 67　68　69

智慧列车

7. (1)

55 张	80 张	37 张
		√

(2)

32 张	8 张	29 张
	○	

第四节　整十数加一位数和相应的减法

基础练习

1. 40 +3 =43　43 -3 =40　43 -40 =3

2. 30 +6 =36　3. 36 -6 =30

思维拓展

4. 40 +8 =48 (只)　答：它们一共吃了 48 只害虫。

5. 36 -6 =30 (支)　答：我还剩下 30 支水彩笔。

6. 40 +4 =44 (位)　答：大巴车上有 44 位乘客。

智慧列车

7. 提示：先用 63 减去 3，得到 60，再用 60 减去 10，得到的 50 就是最后剩下的只数。

63 -3 -10 =50 (只)　　答：还剩下 50 只。

第十二章　认识人民币

第一节　认识人民币

基础练习

1. (1) 10　5　2　(2) 2　2　(3) 9
2. 算一算。
   2　5　5　3
3. 填空。
   (1) 10　(2) 10　100　(3) 86　(4) 3　5

思维拓展

4. 换一换。
   (1) ① 10　5　2　② 2　10　(2) ① 10　5　2　② 10　5　2　③ 60　④ 90
5. 填一填。
   (1) 16　(2) 2　7
6. 填空。
   30　35　20　53　6　1　8　4　3　6
7. 判断。
   (3) √
8. 在○里填上>、<或=。
   >　<　>　=　=　>　>　>　>
9. 计算。
   8　3　7　1　12　8　7　5　1　5　4　9　3　3

智慧列车

10. 报出每样商品的价钱。
    16　2　5　1　8　7　5　21　5

第二节　购物

基础练习

1. 9　6　6　10　8　82　2
2. 略
3. 看图计算。
   (1) 9　(2) 7　8　(3) 9　8　2角　(4) 钢笔和格尺或墨水和格尺。

思维拓展

4. 在（　）里填上“元”或“角”。
   (1) 角　元　(2) 元　元　(3) 元　角　(4) 元　角
5. 我帮妈妈买东西。
   (1) 1元5角+3元3角=4元8角　答：一共要用4元8角钱。
   (2) 3元+4元5角=7元5角　答：2元一张的钱至少要拿4张。
   (3) 7元-1元5角-4元5角=1元　答：应找回1元钱。
   (4) 略

6．看图列式计算。

（1）60＋40＝100（元）　答：花100元。

（2）60＋38＝98（元）　答：花98元。

（3）40＋38＝78（元）　答：花78元。

7．方法一：付2枚1元的。

方法二：付4枚5角的。

方法三：付1枚1元的，2枚5角的。

方法四：付1枚1元的，3枚5角和5枚1角的。

8．

5元	1元	2角	1角
1	3	3	0
1	3	2	2
1	3	0	6
1	2	4	8
1	3	1	4

答：一共有5种付钱的方法。

9．

2角（张）	1角（张）
3	2
2	4
1	6
0	8

答：一共有四种方法。

10．最方便的方法：1张1元的，1张5角和1张1角的邮票。

智慧列车

11．提示：4元1个西瓜＝$\begin{cases}\text{1个菠萝＝4个苹果}\\\text{1个菠萝}\end{cases}$

买一个西瓜的钱可以买2个菠萝，那么一个菠萝2元钱，买一个菠萝的钱可以买4个苹果，那么一个苹果5角钱。　答：每个苹果5角钱。

第十三章　100以内的加法和减法

第一节　整十数加、减整十数

基础练习

1．看图填算式。

（1）50＋7＝57（根）　（2）50＋30＝80（根）

（3）50－10＝40（节）　（4）80－20＝60（个）

2．为灾区学生捐书。

40＋50＝90（本）

3．70－20＝50（人）

4．40－20＝20（把）

5．30＋30＝60（只）

思维拓展

6．10＋30＝40（只）　答：一共有40只鸭子。

7. 70－20－30＝20（个）　答：还剩20个松果。

8. 100－30＝70（朵）　答：还剩下70朵。

9. 30＋40＝70（朵）　答：这一天一共卖出70朵。

10. 30－10＋5＝25（只）　答：现在花丛中有25只。

11. 20＋30＋10＝60（个）　答：体育组一共有60个球。

12. （1）10＋30＝40（元）　答：一共花40元。

（2）60－20＝40（元）　答：买一个足球比买一个书包少付40元。

（3）100－60＝40（元）　答：应找回40元。

（4）略

智慧列车

13. 把左边的一组蘑菇放到右边，两堆个数就同样多。

第二节　两位数加一位数和整十数

基础练习

1. 44＋5＝49（根）　44＋30＝74（根）

思维拓展

2. 36＋30＝66（颗）　答：它们一共有66颗花生。

3. 28＋20＝48（只）　答：它们一共吃了48只害虫。

4. 42＋20＝62（本）　答：他们一共捐了62本学习用品。

5. 33＋9＝42（下）　答：他们一共跳了42下。

6. 43＋40＝83（棵）　答：两小队一共植树83棵。

7. 27＋7＝34（个）　答：它们一共拔了34个萝卜。

8. 24＋7＝31（种）　答：现在一共有31种玩具。

9. 36＋9＝45（名）　答：现在班车里有45名学生。

10. 36＋20＝56（本）　答：图书角原来有故事书56本。

11. 46＋5＝51（个）　答：兰兰每天写51个毛笔字。

智慧列车

12. 提示：题中告诉姐姐有12元钱，弟弟有8元钱，姐姐给弟弟几元钱两人的钱就会同样多。先求出姐姐比弟弟多多少钱，再把多的分成同样多的两份，给弟弟一份，他们的钱就会同样多。　答：姐姐给弟弟2元钱，他们的钱数同样多。

第三节　两位数减一位数和整十数

基础练习

1. 56－4＝52　45－20＝25

2. 37－8＝29（辆）　答：还剩29辆车。

3. 37－20＝17（个）　答：小白兔还剩17个。

4. 46－40＝6（元）　答：淘气还差6元钱才能买一个足球。

5. 63－4＝59（棵）　答：有59棵树栽活了。

6. 42－30＝12（个）　答：还需要12个茶杯。

7. 14－7＝7（个）　答：猴哥哥还剩7个桃。

思维拓展

8. (1) 15 − 9 = 6(个)　答：女孩采得多，多 6 个。
　(2) 15 − 8 = 7(岁)　答：中间的最大，右边的最小，最小的比最大的小 7 岁。
9. 62 − 6 = 56(辆)　答：现在停车场有车 56 辆。
10. 52 − 9 = 43(页)　答：还有 43 页没看。
11. 50 − 8 = 42(元)　答：淘气买一条金鱼后还剩 42 元。
12. 42 − 20 = 22(个)　答：还剩 22 个。
13. 30 − 6 = 24(个)　答：还剩 24 个足球。
14. 35 + 20 = 55(元)　55 − 50 = 5(元)　答：不够买一件上衣和一条裙子，还差 5 元钱。
15. 68 − 20 = 48(只)　答：小猴子比小白兔多 48 只。
16. 48 − 26 = 22(元)　答：一本《故事会》比一本《少年儿童百科》便宜 22 元。

智慧列车

17. 第二排有　8 + 2 = 10(朵)
　第一排有　8 − 2 = 6(朵)
　10 − 6 = 4(朵)　答：第二排比第一排多 4 朵花。

第四节　求一个数比另一个数多(或少)几

基础练习

1. (1) 62 − 20 = 42(厘米)　(2) 62 − 20 = 42(厘米)
2. (1) 44 − 8 = 36(个)　(2) 44 − 8 = 36(个)
3. (1) 53 + 40 = 93(下)　(2) 53 − 40 = 13(下)
4. 50 − 5 = 45(元)
5. (1) 8 + 32 = 40(元)　(2) 32 − 10 = 22(元)

思维拓展

6. (1) 36 − 30 = 6(条)　答：啄木鸟比燕子少捉 6 条虫。
　(2) 36 − 30 = 6(条)　答：燕子比啄木鸟多捉 6 条虫。
7. (1) 92 − 80 = 12(厘米)　答：小鹿比小羊高 12 厘米。
　(2) 92 − 80 = 12(厘米)　答：小羊比小鹿矮 12 厘米。
8. 24 − 9 = 15(只)　答：蝴蝶比蜜蜂多 15 只。
9. (1) 54 − 8 = 46(本)　答：故事书比百科全书多 46 本。
　(2) 30 − 8 = 22(本)　答：百科全书比连环画少 22 本。
　(3) 54 + 30 + 8 = 92(本)　答：三种书一共有 92 本。
10. (1) 68 − 20 = 48(元)　答：一个足球比一个篮球贵 48 元。
　(2) 68 − 9 = 59(元)　答：一个羽毛球比一个足球便宜 59 元钱。
　(3) 20 − 9 = 11(元)　答：一个篮球比一个羽毛球贵 11 元钱。
　(4) 68 + 20 + 9 = 97(元)　97 元 < 100 元　答：100 元钱够买这三种球。
11. 34 − 30 = 4(本)　答：小星比小奇少 4 本。
12. 8 元 8 角 − 2 元 = 6 元 8 角　答：一个文具盒比一把尺子贵 6 元 8 角钱。
13. 78 − 70 = 8(筐)　答：摘的桃子比苹果少 8 筐。
14. 8 + 36 = 44(盒)　答：学校买了 44 盒粉笔。
15. 30 + 46 = 76(页)　答：这本童话书有 76 页。

16. 18 - 5 = 13（元） 答：一本《故事会》比一本《童话集》便宜 13 元钱。
17. 小芳比小丽多 4 颗糖，小芳给小丽 2 颗糖，她俩的糖就一样多了。
18. 第二行比第一行多 6 支笔，从第二行拿 3 支笔到第一行，两行笔的支数就相等了。
19. 3 + 3 = 6（颗） 答：哥哥原来比弟弟多 6 颗糖。
20. 略

智慧列车

21. 提示：第一根绳子剩的米数少，说明第一根用去的多。
解：6 - 4 = 2（米）
答：第一根绳子用去的多，第一根比第二根多用去 2 米。

第十四章　混合计算应用题

基础练习

1. 拍球比赛。
（1）25 + 37 + 29 = 91（下）（2）34 + 29 + 32 = 95（下）（3）23 + 36 + 37 = 96（下）
2. 95 - 36 - 41 = 18（个） 答：地上有 18 个苹果。
3. 85 - 38 + 26 = 73（个） 答：现在有 73 个苹果。
4. 36 + 38 + 23 = 97（台） 答：商店里一共有 97 台家用电器。
5. 18 + 27 + 39 = 84（条） 答：一共吃了 84 条虫子。

思维拓展

6. 23 + 18 + 9 = 50（人） 答：一（1）班共有 50 人参加这三个队。
7. 40 - 20 - 18 = 2（页） 答：还剩 2 页。
8. 方法一：92 - 34 - 49 = 9（千克） 方法二：92 - (34 + 49) = 9（千克）
答：食堂还剩 9 千克大米。
9. 41 - 25 + 38 = 54（个） 答：现在兰兰家有 54 个鸡蛋。
10. 36 - 6 + 36 = 66（个） 答：两个班一共吹了 66 个气球。
11. 69 - 40 - 22 = 7（元） 答：还剩 7 元钱。
12. 35 + 30 + 30 = 95（下） 答：她们三人一共跳了 95 下。
13. 一班：40 - 2 = 38（人） 二班：40 + 1 = 41（人）
41 - 38 = 3（人） 答：二班的人数多，多 3 人。
14. 46 - 5 + 46 = 87（道） 答：两人一共做了 87 道题。
15. （1）45 - 36 = 9（棵） 答：龙眼树比荔枝树少 9 棵。
（2）45 + 36 = 81（棵） 答：两种树一共有 81 棵。
16. （1）36 - 22 = 14（朵） 答：黄花比红花多 14 朵。
（2）36 - 15 = 21（朵） 答：彩花比黄花少 21 朵。
（3）22 - 15 = 7（朵） 答：红花比彩花多 7 朵。
（4）22 + 15 + 36 = 73（朵） 答：一共做了 73 朵。

智慧列车

17.

第十五章　认识时间

基础练习

1. 略
2. 看钟面写时间。

   2:30　9:30　12:30　3:30　11:30
3. 小动物读得对吗？读错的请你改过来。

   (1) 不对，是6时　(2) 对　(3) 不对，是6时半　(4) 对
4. 略

思维拓展

5. 填一填。

   8　10　3　7　12
6. 选一选。(在正确答案下的括号里画上"√")

   (1) ②　(2) ②　(3) ③
7. 填空。(画图略)

   (1) 9　(2) 1:30

智慧列车

8. 提示：因为锯两段中间只锯一次，锯5段中间要锯4次，锯一次用1分钟，所以锯4次就用4分钟。

答：锯成5段要4分钟。

第十六章　统计

基础练习

1. 小小气象员。

5天	3天	6天	8天

2. 想一想，填一填。

   4　5　2　6

   (1) 3　5－2＝3(朵)　(2) 2　4－2＝2(朵)　(3) 7　5＋2＝7(朵)

   (4) 略

思维拓展

3. 小猴吃桃。

   (1) 略　(2) 18　(3) 3　(4) 4
4. 看图填一填。

(1)

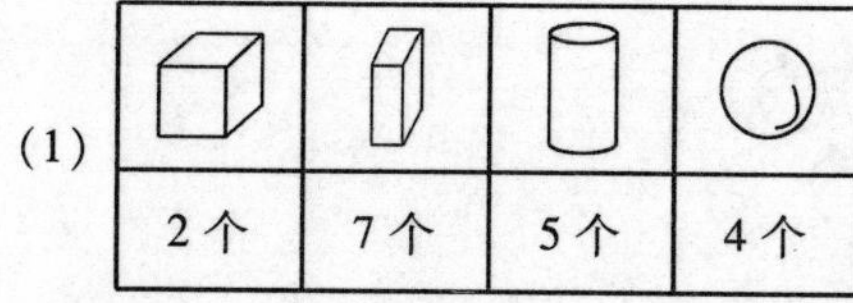

2个	7个	5个	4个

(2) 18　(3) 3　7－4＝3（个）　(4) 2　7－5＝2（个）

智慧列车

5. 解决问题。

(1) 99人　(2) 12元　(3) 82－14＋7＝75（人）　答：现在车上有75人。

第十七章　综合训练与综合应用

一、画一画。

1. □ □ □ □ □
△ △ △ △ △

2. ☆ ☆ ☆ ☆ ☆
○ ○ ○ ○ ○ ○

3. △ △ △ △ △ △ △
□ □ □ □ □

4. □ □ □ □
○ ○ ○ ○ ○ ○

5. ○ ○ ○ ○ ○
□ □

6.

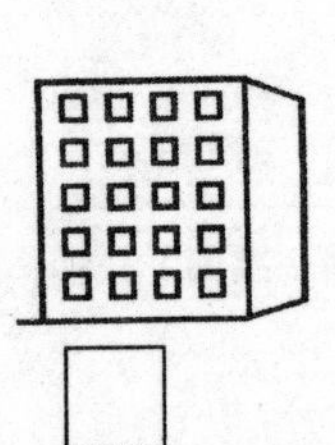
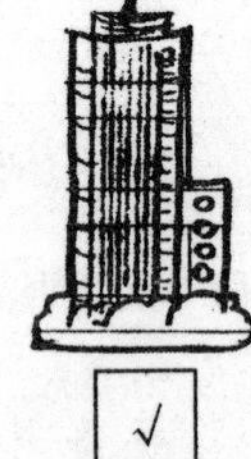

□　√　○

7.

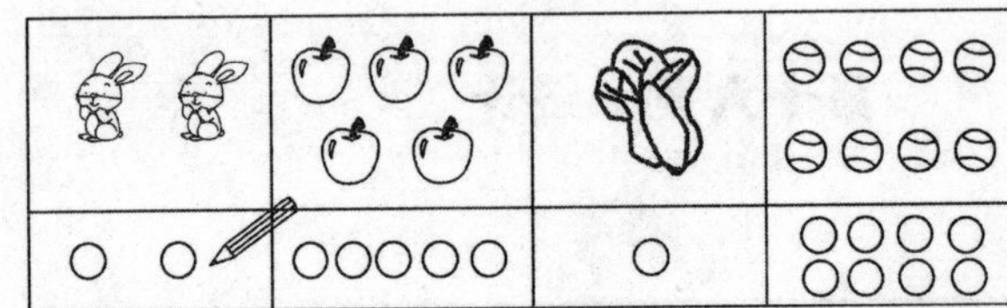

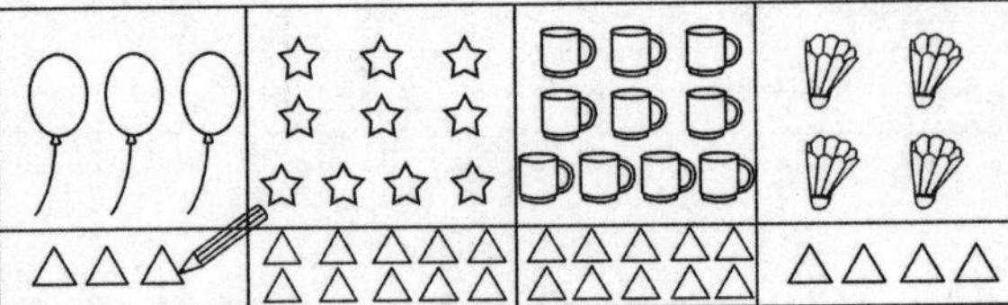

8. 略

二、连一连。

1.

3　4　5　6

2.

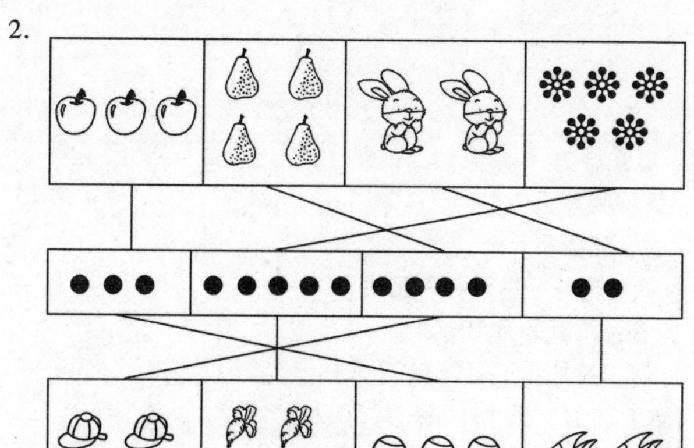

三、比一比。

1. ☆比○多3个，○比☆少3个。

2.

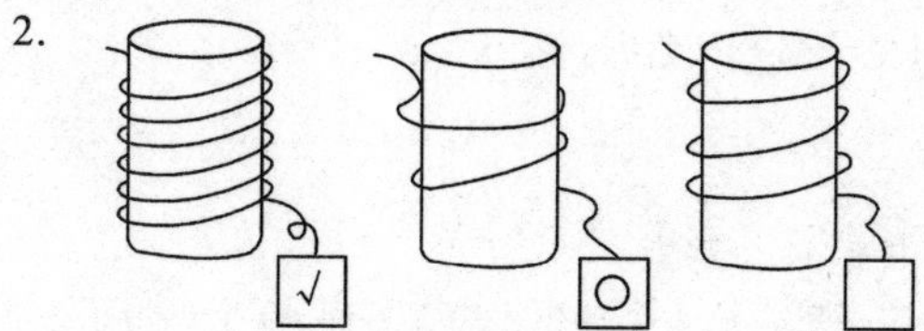

3.

4. B蜗牛先到达蘑菇屋。

四、填一填。

(1) 45<54　　85<100　(2) 58　(3) 50　61　72　83　94

(4) 十　6个十　个　5个一　(5) 18　55　(6) 43　53　(7) 十　十　个　一

(8) 69　71　(9) 10　2　1　(10) 6　5

五、说一说，讲一讲。

(1) 7:00　8:20　5:45　9:05　(2) 略

六、看图列式计算。

(1) 43-8=35（个）　(2) 30+37=67（条）　(3) 19　19　28-9=19（个）

(4) 14-5=9（人）　(5) 9　7　16　9+7=16（个）　(6) 7+8=15（个）

(7) 7+6=13　　8+7=15

6+7=13　　7+8=15

13-6=7　　15-8=7

13 - 7 = 6　　15 - 7 = 8

(8) 3　4　5　6　7

七、应用题。

1. 21 + 8 = 29（个）　答：原来有 29 个苹果。

2. （1）13 - 6 = 7（个）　答：我写了 7 个。

（2）13 - 8 = 5（个）　答：还要写 5 个。

3. 26 - 17 = 9（元）　答：这时爸爸手里还有 9 元钱。

4. （1）25 - 7 = 18（人）　答：跳舞的有 18 人。

（2）18 + 9 = 27（人）　答：参加手工组的有 27 人。

（3）18 + 25 + 27 = 70（人）　答：三个小组一共 70 人。

5. 36 - 9 = 27（开名）　答：女生 27 名。

6. 40 - 15 = 25（朵）　答：做了 25 朵。

7. 工艺品。

（1）50 - 19 - 25 = 6（元）　答：应找回 6 元钱。

（2）答：他买了一只骆驼、一只松鼠和一只兔子。

（3）答：一只骆驼刚好能换一只兔子和一只老虎。

（4）略　（5）略

8. 母鸡下蛋。

（1）36 + 8 = 44（个）　答：一共有 44 个鸡蛋。

（2）40 - 36 = 4（个）　答：往篮子里再放 4 个鸡蛋，就正好是 40 个鸡蛋了。

（3）略

9. 小刺猬采蘑菇。

（1）26 - 10 = 16（个）　答：小刺猬已经采了 16 个蘑菇。

（2）16 + 10 = 26（个）　答：一筐有 26 个蘑菇。

10. 38 + 42 - 78 = 2（把）　答：还要再搬 2 把椅子。

八、条件与问题。

1. 根据条件选问题。（在正确的后面划“√”）

① B √　② C √

2. 根据条件选问题，再计算。

① D　35 - 15 = 20（只）　答：还剩 20 只。

② A　5 + 20 = 25（个）　答：原来有 25 个皮球。

3. 根据条件提问题再列式计算。

（1）妈妈一共用了多少钱？55 + 35 = 90（元）　答：妈妈一共用了 90 元。

（2）一件上衣比一条裤子贵多少钱？55 - 35 = 20（元）　答：一件上衣比一条裤子贵 20 元钱。

4. 略　5. 略

九、买哪种花？

1. 28　2. 玫瑰　3. 略　4. 略